YS

Disgrifir y gŵr hynod hwn yng nghasgliad John Thomas fel 'Arglwydd Penmachno, tad yr holl chwarelwyr'.

COF CENEDL III

YSGRIFAU AR HANES CYMRU

Golygydd
GERAINT H. JENKINS

Gwasg Gomer

Argraffiad Cyntaf - 1988

ISBN 0 86383 416 7

ⓗ   Gwasg Gomer, 1988

Dymuna'r cyhoeddwyr gydnabod cymorth a chyfarwyddyd Adrannau'r Cyngor Llyfrau Cymraeg a noddir gan Gyngor Celfyddydau Cymru.

Argraffwyd gan:
J. D. Lewis a'i Feibion Cyf.,
Gwasg Gomer, Llandysul, Dyfed

Heb eich gwlad eich hun yn eiddo i chwi nid oes gennych nac enw, na bodolaeth, na llais, na hawliau nac aelodaeth ym mrawdoliaeth y cenhedloedd—fe arhoswch yn fastardiaid y ddynoliaeth.

Joseph Mazzini

Heb dir, heb fywyd iraidd,
Heb gysur ond byw gwasaidd,
Ba rin i bren heb ei wraidd!

B. T. Hopkins

Cyn belled ag yr erys i'r Cymry weddillion cydymdreiddiad eu tir â'u hiaith, fe barant yn Bobl ac fe bery felly yng Nghymru ddichonolrwydd ffurfiannol cenedl.

J. R. Jones

Cynnwys

Lluniau

Rhagair

'Canmolwn yn awr ein gwŷr enwog', medd yr hen air, a daeth cyfle euraid i wneud hynny eleni. Blwyddyn o goffáu a dathlu fydd 1988 a rhoddir sylw yn y rhifyn hwn i gyfraniad neilltuol tri o'r gwroniaid a anrhydeddir eleni. Saith gan mlynedd yn ôl, aeth Gerallt Gymro ar daith enwog drwy Gymru, taith a esgorodd ar ddau lyfr—*Itinerarium Kambriae* a *Descriptio Kambriae*—sy'n rhoi darlun o Gymru sydd, yng ngeiriau Huw Pryce, 'yn hynod dreiddgar a difyr o hyd'. Deallwn fod gan CADW gynlluniau lu ar y gweill i ddathlu uchafbwyntiau'r daith yn y dull mwyaf dyfeisgar ac effeithiol posibl. Bedwar can mlynedd yn ôl, cwblhaodd William Morgan, ficer Llanrhaeadr-ym-Mochnant, ei waith gorchestol, sef Beibl Cymraeg 1588. Yr oedd hwn, fel y dengys R. Geraint Gruffydd, yn ddigwyddiad 'o'r pwysigrwydd mwyaf ym mywyd ac yn hanes Cymru'. Edrychwn ymlaen yn eiddgar at y wledd o ddarlithoedd, pasiannau a chyngherddau (hyd yn oed opera-roc!), heb anghofio yr argraffiad newydd o'r Beibl Cymraeg, a drefnir i ddathlu un o uchafbwyntiau mawr hanes ein cenedl. Gan mlynedd yn ôl, ar 20 Awst 1888, bu farw Henry Richard, y gŵr a anrhydeddir yma gan Ieuan Gwynedd Jones. Ni wnaeth neb fwy na Henry Richard i geisio dwyn perswâd ar lywodraethau'r byd i guro'u cleddyfau'n sychau a'u gwaywffyn yn bladuriau. Da clywed fod gan Gymdeithas y Cymod gynlluniau arbennig ar droed i goffáu marwolaeth yr heddychwr mwyaf a welodd Cymru erioed.

Ni ddylem anghofio ychwaith fod o leiaf dri arall yn hawlio sylw arbennig eleni. Ym mis Gorffennaf 1688 bu farw Stephen Hughes, 'Apostol sir Gaerfyrddin'. Gŵr addfwyn, dirodres a chymwynasgar oedd Stephen Hughes, a gweithiodd yn ddygn i sicrhau fod gan ei gydwladwyr doreth o lyfrau Cymraeg i fod yn llusern i'w traed ac yn llewyrch i'w llwybrau. Peth llesol fyddai i ni ailddarllen yr hyn a ysgrifennwyd dro yn ôl gan Thomas

Shankland a Griffith John Williams am y Cymro mwyn o Feidrim. Ryw chwe wythnos wedi marw Hughes, croesodd Cymro tra gwahanol y ffin. Ar 25 Awst 1688 penderfynodd arennau Syr Harry Morgan na allent mwyach ddygymod â'r galwyni o rym a arllwysai môr-leidr enwocaf Cymru i grombil ei gorff. Tybed faint ohonom sydd wedi sylweddoli mai Syr Harry Morgan oedd y Cymro mwyaf adnabyddus *yn y byd* yn yr ail ganrif ar bymtheg. Pan glywid y waedd 'Morgan!' ar foroedd y Caribî, fferrai gwaed môr-ladron Sbaen; ac nid yw'n ormod dweud bod gwrhydri Syr Harry yn Portobello, Maracaibo a Panama yn bwrw gorchestion honedig Drake, Raleigh a Nelson ymhell i'r cysgodion. Dyn piwis a chreulon ydoedd ar lawer cyfrif, ond nid yw hynny'n rheswm dros anwybyddu ei anturiaethau cyffrous a'i gyfraniad disglair i hanes bycanîrs Jamaica. Coffa da eleni hefyd am Evan Evans neu Ieuan Fardd, a fu farw yn ffermdy Cynhawdref ym mhlwyf Lledrod, Ceredigion, ar 4 Awst 1788. Un o ddoniau mwyaf llachar ein traddodiad ysgolheigaidd oedd Ieuan, ond ni chafodd sylw digonol hyd yma am ei gyfraniad i'r adfywiad cenedlaethol a gafwyd ar ddiwedd y ddeunawfed ganrif. Gobeithio'n fawr y bydd llyfr Gerald Morgan ar 'Ieuan Fardd', yn y gyfres 'Llên y Llenor', yn sbardun i ni geisio dysgu mwy am ddelfrydau'r gwladgarwr twymgalon hwn.

Hoffwn ddiolch i bob un o'r cyfranwyr i'r rhifyn hwn am lunio ysgrifau sydd, i'm tyb i beth bynnag, yn hynod ddeniadol a darllenadwy. Mae fy niolch yn fawr i swyddogion y Cyngor Llyfrau Cymraeg am eu cyfarwyddyd a'u gofal arferol; gwn o brofiad y byddai cynnwys ac ymddangosiad llyfrau Cymraeg yn anhraethol dlotach oni bai am gyfraniad y corff ardderchog hwn. Hyfrydwch yw cael diolch eleni eto i'r brodyr Lewis, ynghyd â chysodwyr, argraffwyr a rhwymwyr Gwasg Gomer, am eu cymwynasau.

Gŵyl Owain Glyndŵr, 1987　　　　　*Geraint H. Jenkins*

Y Cyfranwyr

Yr Athro R. GERAINT GRUFFYDD, Cyfarwyddwr Canolfan Uwchefrydiau Cymreig a Cheltaidd Prifysgol Cymru, Aberystwyth.

Dr. ALED GRUFFYDD JONES, Darlithydd, Adran Hanes, Coleg Prifysgol Cymru, Aberystwyth.

Yr Athro IEUAN GWYNEDD JONES, Athro Emeritus mewn Hanes Cymru, Coleg Prifysgol Cymru, Aberystwyth.

Dr. HUW PRYCE, Darlithydd, Adran Hanes, Coleg Prifysgol Gogledd Cymru, Bangor.

Dr. DAFYDD ROBERTS, Is-geidwad â gofal, Amgueddfa Lechi Cymru, Llanberis.

Mr. M. WYNN THOMAS, Darlithydd, Adran y Saesneg, Coleg Prifysgol Abertawe.

CYMRU GERALLT

Huw Pryce

Y mae'r Cymry, yn ddiau, gan na ormesir hwynt â beichiau trymfawr, ac na ddifethir hwy â gorchwylion gwasaidd, ac na flinir hwy ag unrhyw gribddail ar ran eu harglwyddi, oherwydd hynny â'u gwarrau'n syth i wthio'n ôl gamwri, oherwydd hynny yn meddu ar y fath ddewrder mawr i amddiffyn eu gwlad, oherwydd hynny yn bobl sydd bob amser yn barod i arfau a gwrthryfel.

Gerallt Gymro

Am ved Crist, Creawdyr nef, ys aghen,
Ys agkreiff agkret yn y gylchyn.
Tros eluyd y'n byd, bit yn erwan,
Treis Jerusalem gan Syladin.

(Y mae angen ynghylch bedd Crist, Creawdwr nef,
Y mae'n gerydd bod pobl anghristnogol o'i gwmpas.
Dros y ddaear bydd yn ingol i ni
Bod Saladin wedi gorchfygu Caersalem.)

Dyna sut y cyfeiriodd y bardd Elidir Sais at achos
uniongyrchol un o'r teithiau enwocaf yn hanes Cymru.
Ar 2 Hydref 1187 cwympodd Caersalem, dinas a fu yn
nwylo'r Cristnogion er pan gipiwyd hi gan luoedd y
Groesgad Gyntaf ym 1099, i'r arweinydd Islamaidd
Saladin. Yn syth ar ôl iddo glywed y newyddion
brawychus hyn, lansiodd y Pab Gregori VIII groesgad
newydd, y Drydedd, gan alw ar dywysogion gorllewin
Ewrop i arwain byddin i Balesteina er mwyn adennill
teyrnas Gristnogol Caersalem yn ogystal â'r ddinas
sanctaidd ei hun. Cafodd ymateb da. Ym mis Tachwedd
ymrwymodd Rhisiart, iarll Poitou, i'r achos drwy gymryd
y Groes, a'r mis Ionawr dilynol fe'i hefelychwyd gan ei
dad, Harri II, brenin Lloegr, ynghyd â Phylip II, brenin
Ffrainc; ym mis Mawrth 1188 cytunodd yr ymerawdwr
Almaenig, Ffredrig Barbarossa, yntau i arwain llu i'r
dwyrain. Yn gynnar yn yr un mis, fel rhan o'r ymdrech i
godi milwyr ar gyfer y groesgad, dechreuodd Baldwin,
archesgob Caer-gaint, ar ei daith bregethu drwy Gymru,
taith a oedd i bara am bron chwe wythnos.
    Yn gwmni i'r archesgob drwy gydol ei ymweliad â'r
wlad yr oedd clerc yng ngwasanaeth y Brenin Harri II;
manteisiodd y gŵr hwn ar y cyfle i gasglu defnyddiau ar

3

gyfer dau o'r llyfrau pwysicaf a ysgrifennwyd am Gymru yn yr oesoedd canol. Enw'r clerc oedd Gerallt de Barri neu, a defnyddio'r enw Cymraeg arferol amdano, Gerallt Gymro. Diolch i'r llyfrau niferus a ysgrifennodd dros gyfnod o ryw ddeng mlynedd ar hugain, yn enwedig *Y Daith trwy Gymru (Itinerarium Kambriae)* (1191)—lle cofnododd hanes yr ymgyrch recriwtio ym 1188—a'i gymar, y *Disgrifiad o Gymru (Descriptio Kambriae)* (1194), gwyddom fwy am Gymru yn y ddeuddegfed ganrif a dechrau'r drydedd ganrif ar ddeg nag a wyddom amdani ar unrhyw adeg gynharach yn ei hanes. Nid oes syndod fod sylwadau Gerallt am y Cymry wedi eu dyfynnu droeon gan haneswyr: gadawodd inni gorff o dystiolaeth eang ei amrediad a manwl ei sylw na cheir dim tebyg iddo yn y ffynonellau eraill. Eto, yn union oherwydd ei fod mor doreithiog fel ffynhonnell ac wedi dylanwadu cymaint ar ein hamgyffred ni heddiw o'i Gymru ef, y mae'n rhaid inni ddarllen Gerallt yn ofalus iawn, gan gofio na ddewisodd ddweud y cwbl a wyddai wrthym o bell ffordd. Wyth gan mlynedd ar ôl ei daith drwy'r wlad, beth yw gwerth Gerallt fel tyst i'n gorffennol? Yn fwy penodol, beth oedd Cymru yn ei olygu i Gerallt, a pha mor ddibynadwy yw ei ddarlun ef o'r gymdeithas yng Nghymru?

Er mwyn ceisio rhai atebion i'r cwestiynau hyn, rhaid troi yn gyntaf at yr awdur ei hun. Pwy oedd Gerallt Gymro? Fe'i ganed ym Maenorbŷr yn Nyfed tua 1146, yn bedwerydd mab i'r arglwydd Normanaidd Wiliam de Barri a'i wraig Angharad. Yr oedd Angharad yn ferch i Gerallt o Windsor, cwnstabl castell Penfro, a Nest, merch Rhys ap Tewdwr, brenin y Deheubarth y bu ei ladd ym 1093 yn gychwyn y goresgyniadau Normanaidd a greodd y Mers yn Nyfed. O ganlyniad i'w harddwch, ynghyd â'i hachau anrhydeddus, daethai Nest i chwarae rhan bwysig yn natblygiad y gymdeithas gymysg newydd a oedd yn ymffurfio yn y de-orllewin: yn ogystal ag esgor ar blant ei

1 Castell Maenorbŷr, lle ganed Gerallt tua 1146.

gŵr, Gerallt o Windsor, cafodd hi un mab gan Steffan, cwnstabl Aberteifi, sef Robert Fitz Stephen, ac un arall, sef Henry Fitz Henry, gan neb llai na Harri I o Loegr, brenin a genhedlodd ryw ugain o blant anghyfreithlon i gyd. Drwy ei berthynas â disgynyddion a cheraint ei famgu, cysylltwyd Gerallt â phrif deuluoedd Dyfed, yn Gymry ac yn wladychwyr. Ymhyfrydai yn ei dras bendefigaidd—fel y dengys ei ganmoliaeth o'i berthnasau am eu rhan yng ngoresgyniad Iwerddon o 1169 ymlaen, er enghraifft—a theg ei ystyried yn llefarydd cyntaf a mwyaf huawdl y Mers.

Yn debyg i lawer o feibion iau y cyfnod hwnnw paratowyd Gerallt ar gyfer gyrfa eglwysig. Wrth iddo edrych yn ôl ar ei blentyndod ar ddechrau ei hunangofiant, *De Rebus a se Gestis* (1208), honnai ei fod wedi adeiladu eglwysi o dywod yr adeg honno yn hytrach na'r cestyll a'r caerau a âi â bryd ei frodyr hŷn, a bod ei dad o'r herwydd wedi ei alw 'ei esgob'. Dichon i Wiliam de Barri obeithio y deuai ei fab ieuengaf ryw ddydd yn esgob Tyddewi, yn debyg i'w frawd-yng-nghyfraith, David Fitz Gerald (1148-76), gan atgyfnerthu gafael y teulu ar Ddyfed ac ar y Deheubarth yn gyffredinol. Yn sicr rhoddwyd yr addysg orau i Gerallt: dyna'r cam cyntaf er mwyn sicrhau gyrfa lwyddiannus yn yr eglwys erbyn canol y ddeuddegfed ganrif, yn sgîl y pwyslais cynyddol ar gael esgobion dysgedig a allai hybu diwygiadau eglwysig a hefyd weinyddu'n effeithiol wrth i lywodraethau byd ac eglwys dyfu'n fwyfwy cymhleth. Ar ôl derbyn hyfforddiant gan ei ewythr, yr Esgob David, yn Nhyddewi, ac yna gan fynaich abaty Sant Pedr, Caerloyw, aeth Gerallt rhagddo i Baris tua 1162-5 i astudio'r celfyddydau, cyn dychwelyd i gynorthwyo yng ngweinyddiaeth esgobaeth Tyddewi tua 1174 ac yna cael ei benodi'n archddiacon Brycheiniog yn yr un esgobaeth y flwyddyn ddilynol. Ar ôl iddo fethu cael ei benodi'n esgob Tyddewi yn olynydd i'w ewythr, treuliodd gyfnod pellach ym Mharis rhwng 1176-7 a 1179, gan ganolbwyntio'r tro hwn ar y gyfraith ganon a sifil ac ar ddiwinyddiaeth.

Ni fuasai addysg Gerallt ym Mharis yn bosibl oni bai am gefnogaeth ei deulu, a anfonodd gyfran o'i ddegymau ato i'w gynnal yn ystod ei arhosiad cyntaf yno; ond bu'r blynyddoedd ym mhrif ganolfan dysg gorllewin Ewrop hefyd yn fodd i'w ryddhau i raddau rhag ei gefndir teuluol ac i feithrin agweddau a galluoedd ychwanegol i'r rheini a ddisgwylid gan unrhyw blentyn breintiedig o'r Mers. Drwy dynnu yn helaeth oddi ar adnoddau deallusol yr ysgolion fe'i galluogwyd i ysgrifennu'n gain ac yn dreiddgar am ei gynefin, gan amlygu'r arddull a fyddai ymhen amser yn ennyn edmygedd y dyneiddiwr Petrarca, arddull a seiliwyd ar ei astudiaeth drylwyr o'r clasuron Lladin fel rhan o'r cwrs Gramadeg. Ym Mharis hefyd y daeth Gerallt i gyfranogi o syniadau'r ysgolhaig beiblaidd,

2   Eglwys Gadeiriol Notre-Dame, Paris.
Byddai Gerallt wedi ei gweld yn cael ei hadeiladu pan oedd yn fyfyriwr yn y ddinas.

3 Pen bagl esgob o Dyddewi (c. 1150-80) a ddefnyddiwyd efallai gan ewythr Gerallt, yr Esgob David FitzGerald (1148-76).

Pedr Gantor, ynglŷn â diwygiad eglwysig, fel y gwelwn o ddarllen y llawlyfr a baratôdd tua 1197 ar gyfer yr offeiriaid o dan ei ofal yn archddiaconiaeth Brycheiniog, *Gem yr Eglwys* (*Gemma Ecclesiastica*), lle dyfynnir talpau sylweddol o un o lyfrau Pedr. Dylanwadodd Paris ar agweddau gwleidyddol Gerallt yn ogystal. Yno y gwreiddiodd ei edmygedd o frenhinoedd Capetaidd Ffrainc—bu'n llygad-dyst i'r dathliadau pan aned Phylip, mab ac olynydd Louis VII (1137-80), ym 1165; ymhen rhyw hanner canrif, ym 1216, byddai Gerallt yn cyfansoddi cerdd yn croesawu mab Phylip II, y Tywysog Louis, fel ymgeisydd am goron Lloegr yn ystod gwrthryfel y barwniaid yn erbyn y Brenin John.

Ar ôl iddo ddychwelyd o'i gyfnod cyntaf ym Mharis dechreuodd Gerallt ar ei yrfa eglwysig yn llawn brwdfrydedd drwy dderbyn comisiwn gan archesgob Caer-gaint i orfodi lleygwyr Dyfed, a'r Fflandryswyr yn arbennig, i dalu eu degymau. Yna, eto yn rhinwedd ei swydd fel legad yr archesgob, difeddiannodd hen ŵr o'r enw Jordan o archddiaconiaeth Brycheiniog am nad oedd hwnnw'n barod i roi'r gorau i'w 'ordderch', ac o ganlyniad cafodd Gerallt ei benodi'n archddiacon yn ei le. Dyma enghraifft dda o'r cyfuniad o gysylltiadau teuluol ac ymroddiad diwygiadol a nodweddai ei yrfa eglwysig: dibynnai dylanwad Gerallt yn yr esgobaeth ar nawdd ei ewythr a'i dylwyth, ond yr oedd ganddo hefyd y cymwysterau angenrheidiol ar gyfer swydd archddiacon ac ni ellir gwadu ei ymlyniad cyson wrth ddiweirdeb clerigol. Ar y llaw arall, mae'n dra thebyg fod Jordan yn llawer mwy cynrychioliadol na Gerallt o drwch clerigwyr Cymreig y ddeuddegfed ganrif, a bod y mwyafrif mawr ohonynt nad oeddent yn fynaich nac yn esgobion yn briod mewn ffordd ddigon parchus a derbyniol ym marn eu cymdogion.

Bu tras ac addysg Gerallt hefyd yn allweddol yng ngham nesaf ei yrfa, sef ei gyfnod fel clerc yng ngwasanaeth Harri

II (1154-89) a Rhisiart I (1189-99) rhwng tua 1184 a 1194. Dyma pryd yr ysgrifennodd ei lyfrau gorau—*Hanes Lleoedd Iwerddon* (*Topographia Hibernica*) (1188), *Goresgyniad Iwerddon* (*Expugnatio Hibernica*) (1189), *Y Daith trwy Gymru* (1191), a'r *Disgrifiad o Gymru* (1194). Mae'n bwysig sylwi bod y rhain i gryn raddau'n ffrwyth ei wasanaeth i'r goron Seisnig: casglodd y defnyddiau ar gyfer ei ddau lyfr ar Iwerddon yn ystod ei ymweliad â'r ynys ym 1185, pan fu'n gydymaith i'r Tywysog John, a oedd wedi ei anfon yno gan ei dad, Harri II, er mwyn llywodraethu'r Ynys Werdd; ac ysgogwyd y ddau lyfr ar Gymru gan ei daith o amgylch y wlad gyda'r Archesgob Baldwin ym 1188, taith yr ymgymerwyd â hi ar orchymyn y brenin ac un a danlinellodd awdurdod Caer-gaint dros esgobaeth Cymru. Rhaid cofio hefyd mai ar gyfer ei feistri *Angevin* yr ysgrifennodd Gerallt y llyfrau hyn, gan gyflwyno *Hanes Lleoedd Iwerddon* i Harri II, er enghraifft, a'r *Daith trwy Gymru* i Wiliam Longchamp, canghellor a phrif ustus Lloegr. Yn *Goresgyniad Iwerddon* a'r *Disgrifiad o Gymru* rhoes Gerallt gyngor ar sut y gellid concro a llywodraethu'r gwledydd hynny. Chwilio am nawdd yr oedd Gerallt drwy ysgrifennu'r gweithiau hyn; gwyddai nad oedd gobaith iddo godi'n uwch nag archddiacon heb ennill ffafr yn y llys.

Yn anffodus iddo ef, fodd bynnag, bu'r union gysylltiadau teuluol a'i gwnâi mor ddefnyddiol i'r goron yng Nghymru ac Iwerddon hefyd yn faen tramgwydd i'w ddyrchafiad pellach: yr oedd y Cymry a'r Merswyr fel ei gilydd yn cael eu hystyried yn fygythiad i awdurdod brenhinoedd Lloegr. Cawn brawf o sefyllfa fregus Gerallt pan anfonwyd ef i gadw'r heddwch yng Nghymru ar ôl i Harri II farw yn Chinon ym mis Gorffennaf 1189. Methodd ei ymdrechion er gwaethaf ei berthynas â'r Arglwydd Rhys, a dechreuodd ymosod ar gestyll a threfi'r Merswyr yn y wlad, ac achubodd mynach Sistersaidd, Wiliam Wibert, cyd-deithiwr â Gerallt ar ei ymweliadau, y cyfle i ledaenu storïau maleisus amdano i'r perwyl ei fod mewn gwirionedd yn ochri â'i berthnasau Cymreig yn hytrach nag amddiffyn buddiannau coron Lloegr. Anodd gwybod ai'r sibrydion hyn, neu efallai ei gefnogaeth i achos y Tywysog John, a gynllwyniai yn erbyn rhaglawiaid ei frawd hŷn tra oedd hwnnw'n absennol o Loegr ar y Drydedd Groesgad ac yna'n garcharor yn yr Almaen, a arweiniodd at ymadawiad Gerallt â'r llys tua 1194; y cyfan a ddywed yn ei hunangofiant yw ei fod wedi blino ar helbulon y llys ac felly wedi chwilio am loches dawel yn yr ysgolion.

Ni chafodd lonydd am yn hir, oherwydd ymhen pum mlynedd dychwelodd Gerallt i ferw'r byd gwleidyddol drwy gael ei enwebu'n olynydd i Bedr de Leia, esgob Tyddewi, a fu farw ym 1198. Gwrthwynebwyd ei

4 Ffresgo o'r Pab Innocent III (1198-1216). Ym 1203 dyfarnodd yn erbyn cais deublyg Gerallt i gael ei gydnabod yn esgob Tyddewi ac i ddyrchafu'r eglwys honno yn archesgobaeth i Gymru.

enwebiad gan Hubert Walter, archesgob Caer-gaint, a throes Gerallt at y Pab Innocent III, gan ofyn iddo gadarnhau nid yn unig ei etholiad fel esgob ond hefyd hawl eglwys Tyddewi i fod yn archesgobaeth i Gymru, yn hollol annibynnol ar Gaer-gaint. Hanner canrif yn gynharach yr oedd Bernard, esgob Normanaidd cyntaf Tyddewi (1115-48), wedi ymgyrchu'n egnïol i sicrhau statws archesgobol i'w eglwys, gan ddod yn bur agos at lwyddo; yr ymgyrch honno a ysbrydolodd Gerallt. Ymwelodd dair gwaith â Rhufain i bledio ei achos gerbron y Pab, gŵr a oedd â pheth cydymdeimlad â'i ddadleuon, ond *realpolitik* a orfu yn y pen draw: ni thalai i Innocent elyniaethu'r Brenin John o Loegr drwy ganiatáu i Dyddewi, un o gonglfeini awdurdod coron Lloegr yng Nghymru, ymddyrchafu'n symbol o annibyniaeth Cymru—rhaid cofio mai nai John, Otto o Braunschweig, oedd ffefryn Rhufain fel ymgeisydd ar gyfer coron yr Almaen a'r teitl o Ymerawdwr ar y pryd. Bu'n rhaid i Gerallt ildio ym 1203 a gweld penodi'r Sais Sieffre de Henlaw yn esgob Tyddewi yn ei le. Treuliodd ran helaeth o weddill ei oes yn Lincoln, yn ddyn siomedig ond prysur: yn ogystal â'i dri llyfr ar hawliau Tyddewi a'i ymgais i ddod yn esgob, onid yn archesgob, yr eglwys honno, bwriodd ei lid ar ei nai, Gerallt Ieuanc, a oedd wedi ei olynu'n archddiacon Brycheiniog, a hefyd ar yr Esgob Sieffre o Dyddewi, yn *Drych Dau Ddyn* (*Speculum Duorum*) (1216); fflangellodd y frenhinllin *Angevin* a Harri II yn arbennig yn ei *Ynghylch Addysg Tywysog* (*De Principis Instructione*) (c. 1217); a bu'n drwm ei lach ar yr urddau mynachaidd yn *Drych yr Eglwys* (*Speculum Ecclesiae*) (c. 1220). Bu farw tua 1223.

Y mae gyrfa a gweithiau Gerallt yn cyffwrdd felly â llawer o agweddau ar fywyd gorllewin Ewrop yn ystod ei oes. Dyry inni ddisgrifiadau bywiog o arweinwyr rhyngwladol megis Harri II ac Innocent III, yn ogystal â hanesion am leoedd mor amrywiol â Dulyn, Woodstock,

Paris a Rhufain. Eto, ei lyfrau ar Gymru ac Iwerddon sy'n sicrhau lle arbennig i Gerallt ymhlith awduron Ewropeaidd y ddeuddegfed ganrif. Dyma feysydd newydd i lenor Lladin ymdrin â hwy, fel y gwyddai Gerallt yn iawn. Meddai, wrth gyflwyno *Hanes Lleoedd Iwerddon* i Harri II:

> Fel y mae gwledydd y Dwyrain yn hynod o nodedig am rai rhyfeddodau sydd yn neilltuol a chynhenid iddynt hwy, felly y gwneir ffiniau'r Gorllewin yn hynod gan eu rhyfeddodau natur hwythau.

Ac yn ei ragymadrodd i'r *Disgrifiad o Gymru*, dyma Gerallt yn egluro ei fwriad fel a ganlyn:

> Ond gan fod llyfrau hanes gwych am wledydd eraill, a gyhoeddwyd ers talm byd gan ysgrifenwyr rhagorol, wedi dyfod allan i oleuni byd, ystyriasom ni, ar gyfrif ein cariad at ein gwlad ac at y cenedlaethau a ddêl, nad gwaith anfuddiol, yn sicr, nac anghanmoladwy, yw esbonio pethau cuddiedig ein gwlad, a dadorchuddio o'r tywyllwch ddigwyddiadau enwog ei hanes, ond na ddosbarthwyd, hyd yn hyn, ar gof a chadw mewn gwaith disglair, a dyrchafu'r deunydd distadl â'n hysgrifbin.

Rhaid cofio fod Gerallt yn ysgrifennu mewn cyfnod pan oedd gorwelion gwledydd y gorllewin yn cael eu hymestyn yn sgîl y croesgadau i Syria a Phalesteina a hefyd yr ymgyrchoedd yn erbyn y Slafiaid paganaidd i'r dwyrain o afon Elbe yn yr Almaen. Yn wir, credai rhai y gellid cyfiawnhau goresgyniadau'r Eingl-Normaniaid yng Nghymru ac Iwerddon fel ymdrechion i wareiddio pobloedd barbaraidd a hanner Cristnogol a oedd yn byw ar ymylon y byd. Dyna farn Gerallt am y Gwyddelod yn sicr, fel y clywn yn ei ragair i *Goresgyniad Iwerddon:*

ymdrechais ddadlennu'n eglur oresgyniad y Gwyddelod, a hanes dofi ffyrnigrwydd cenedl farbaraidd iawn yn ystod ein hoes.

Y mae *Hanes Lleoedd Iwerddon* yn frith o hanesion sy'n pwysleisio barbareiddiwch y Gwyddelod, megis yr un am y ddefod ffiaidd o sefydlu brenin yn un rhan o'r ynys a ddarlunnir yn llun 5, lle y gwelwn y brenin newydd yn ymdrochi mewn gwaed caseg ac yn bwyta ei chig! Bu'n fwy amwys ei agwedd tuag at y Cymry, fel y cawn weld, ond teg dweud ei fod yn meddwl amdanynt hwythau hefyd fel pobl ddigon cyntefig a di-ddal, hyd yn oed os bu'n barotach i gydnabod eu rhinweddau nag y bu yn achos y Gwyddelod. Nid oedd agweddau o'r fath yn newydd, wrth gwrs; fe'u mynegwyd gan nifer o ddeallusion ac eglwyswyr yn Lloegr a Ffrainc er diwedd yr unfed ganrif ar ddeg, gan ddynion megis Lanfranc ac Anselm, archesgobion Caer-gaint, yn eu llythyrau at frenhinoedd ac esgobion Iwerddon, Sant Bernard o Clairvaux yn ei gofiant i'r Gwyddel, Malachi Sant, neu Ieuan o Gaersallog yn y llythyr a luniodd ar ran yr Archesgob Theobald o Gaer-gaint yn condemnio anfoesoldeb trigolion Gwynedd a'u tywysog, Owain.

Ond er bod Gerallt yn perthyn i'r un cyd-destun trefedigaethol a diwygiadol â'r awduron hyn a rhai cyffelyb iddynt, rhaid pwysleisio na fu i'r un ohonynt neilltuo llyfr cyfan i ddisgrifio Cymru neu Iwerddon fel y gwnaeth ef, a bod maint a manylder y sylw a roes i Gymru yn enwedig heb eu tebyg yng ngwaith unrhyw awdur Ewropeaidd arall yn y ddeuddegfed ganrif. Felly, fel y mae Robert Bartlett wedi pwysleisio, er bod llawer yn gyffredin rhwng darlun Gerallt o'r Gwyddelod a'r Cymry a'r eiddo sylwebyddion eraill arnynt, ac yn wir a'r eiddo awduron cyfandirol a ddisgrifiai'r Sgandinafiaid, y Slafiaid neu'r Llydawyr yn yr unfed ganrif ar ddeg a'r ddeuddegfed, nid oedd cynsail cyfoes i lyfrau megis *Hanes*

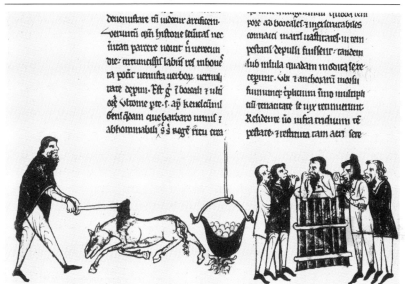

5. 'Defod dra barbaraidd a ffiaidd' o sefydlu brenin Gwyddelig a
ddisgrifir gan Gerallt yn ei *Hanes Lleoedd Iwerddon*
(Llyfrgell Genedlaethol Iwerddon LLS. 700).

Lleoedd Iwerddon a'r *Disgrifiad o Gymru* a gymerai wlad
ac arferion un bobl yn destun iddynt. Tanlinellir newydd-
deb y gweithiau hyn ymhellach o gofio na chynhyrchwyd
dim tebyg iddynt gan lenorion brodorol Cymru ac
Iwerddon ychwaith. Ymddiddorai'r rheini yng ngorff-
ennol eu pobl, bid siŵr, ac yn wir manteisiodd Gerallt ar
rai o'u traddodiadau, er enghraifft drwy fenthyca oddi
wrth hen hanes y Gwyddelod fel y cofnodwyd ef yn *Llyfr
Goresgyniadau Iwerddon (Lebor Gabála Erenn)* yn ei
Hanes Lleoedd Iwerddon, neu drwy ddyfynnu achau'r
brenhinoedd Cymreig yn y *Disgrifiad o Gymru*; ond ni
cheisiasant gyflwyno portreadau o'u gwledydd fel tiriog-
aethau a chanddynt eu nodweddion a'u pobl neilltuol eu
hunain.

Felly, o'i gymharu â dysgedigion estron a brodorol fel ei
gilydd, y mae i Gerallt werth unigryw fel tyst i orffennol

y Cymry a'r Gwyddelod. Ond beth yn union oedd Cymru
yn ei olygu i Gerallt, a pha mor nodweddiadol o'i
gyfoeswyr oedd ei agwedd at y wlad? Ar ddechrau'r
Disgrifiad esbonia'r awdur ei fod 'wedi arfaethu amlygu
yn hyn o waith ddisgrifiad o Gymru ein gwlad, a natur y
bobl, y sydd yn annhebyg, ac yn hollol wahanol, i
genhedloedd eraill . . .', ac y mae teitl a phwnc y llyfr
hwnnw, yn ogystal â *Y Daith trwy Gymru*, wrth gwrs yn
adlewyrchu rhagdybiaeth sylfaenol Gerallt bod Cymru'n
wlad wahanol. Pan gofir hefyd am ei ymdrechion dewr i
ddyrchafu Tyddewi'n archesgobaeth i Gymru, a'i
feirniadaeth lem ar frenhinoedd Lloegr am wthio
esgobion Seisnig ar eglwysi'r wlad, oni ellir mynd gam
ymhellach, yn wir, a dweud bod Gerallt nid yn unig yn
meddwl am Gymru fel cenedl ond yn ei uniaethu ei hun
â hi yn ogystal?

Gwir i Gerallt leisio barn bleidiol iawn i'r Cymry o bryd
i'w gilydd: gallai eu hedmygu am eu rhyddid, eu
harabedd, a'u hymlyniad wrth grefydd, er enghraifft, gan
gydymdeimlo â hwy i raddau llawer pellach na
sylwebyddion estron megis Ieuan o Gaersallog. Eto, er
gwaethaf yr holl rethreg yn ystod helynt Tyddewi rhwng
1198 a 1203, pan ymrestrodd Llywelyn Fawr a
thywysogion eraill i'w achos, prin ei fod wedi ochri â'r
Cymry yn gyson ar hyd ei oes. Fel y gwelsom wrth drafod
ei yrfa, bwrw ei goelbren gydag awdurdodau teyrnas
Lloegr a wnaeth Gerallt am gyfran sylweddol o'i fywyd.
Gwasanaethodd archesgob Caer-gaint ar ôl iddo
ddychwelyd o Baris am y tro cyntaf; yna aeth yn
gynrychiolydd y goron Seisnig, ac erbyn y diwedd galwai
ar Steffan Langton, archesgob Caer-gaint, i ymweld â
Chymru er mwyn gwella moesau ei chlerigwyr. Mab y
Mers oedd Gerallt, wedi'r cwbl, ac nid oes syndod iddo
ymagweddu'n amwys tuag at y brodorion y bu'r ochr
Normanaidd i'w deulu'n ymladd yn eu herbyn ond hefyd
yn cydweithio â hwy ers tair cenhedlaeth.

Prin bod cyfiawnhad dros alw Gerallt yn Gymro, felly. Serch hynny, nid oes ddwywaith nad oedd yn meddwl bod Cymru'n genedl: credai fod y Cymry yn bobl wahanol i bobloedd eraill ac ar rai adegau, o leiaf, daliai fod hawl gan Gymru i ddod yn uned eglwysig ar wahân i Loegr, a bod ganddi hefyd y potensial i ddatblygu'n uned wleidyddol. Ond ai dyna sut y syniai pawb yng Nghymru yr adeg honno? Wrth geisio ateb y cwestiwn hwnnw, gellir nodi dau brif rwystr a ataliai dwf syniad tiriogaethol o genedl yng Nghymru yn y ddeuddegfed ganrif. Rhoes Gerallt ei fys ar un ohonynt pan honnodd mai prif wendid y Cymry oedd eu bod 'yn gwrthod ymddarostwng, yn null cenhedloedd eraill sydd yn byw'n ddedwydd, i gyngor un brenin, ac i un arglwyddiaeth'. Ymhlyg yn y feirniadaeth oedd y rhagdybiaeth y *gallai* Cymru fod yn wlad a chanddi undod gwleidyddol; ond nid oedd y cyfryw undod yn bod eto. Yng nghanol y ddeuddegfed ganrif ceid tair prif deyrnas frodorol yng Nghymru o hyd, sef Gwynedd, Powys a Deheubarth—yr oedd Gwent a Morgannwg wedi syrthio i ddwylo'r Normaniaid—ac er bod Powys wedi chwalu ar ôl marw Madog ap Maredudd ym 1160 a Deheubarth ar ôl marw'r Arglwydd Rhys ap Gruffudd ym 1197, nid mater hawdd oedd ceisio creu politi Cymreig newydd yn seiliedig ar Wynedd, fel y darganfu'r ddau Lywelyn. Nid oedd Cymru wedi dod o dan reolaeth un teulu brenhinol, fel a ddigwyddodd yn yr Alban, Ffrainc a'r Almaen yn y nawfed ganrif, neu yn Lloegr yn y ddegfed, a rhaid bod ei rhaniadau gwleidyddol wedi ei gwneud yn anos i'w phobl feddwl amdani fel un wlad— nid oedd eu hymwybyddiaeth o fod yn bobl wahanol o angenrheidrwydd yn ddigon i beri iddynt deimlo eu bod yn perthyn i un wlad.

Eto, anodd dal bod diffyg undod gwleidyddol yn rheswm digonol am arafwch y Cymry i synied am Gymru fel eu priod wlad. Prin bod gwlad fwy rhanedig nag Iwerddon yn yr oesoedd canol cynnar, ond datblygodd y delfryd o un brif frenhiniaeth yno, wedi ei chysylltu â bryn Tara, o'r seithfed ganrif ymlaen, ac erbyn yr unfed ganrif ar ddeg a'r ddeuddegfed ganrif daethai'r delfryd yn nod ymarferol i frenhinoedd mwyaf pwerus yr ynys geisio ymgyrraedd ato, er na lwyddodd yr un o'r uchelfrenhinoedd hyn i ennill awdurdod dros y wlad i gyd erbyn oes Gerallt. Yng Nghymru, ar y llaw arall, rhaid aros tan y drydedd ganrif ar ddeg cyn gweld tyfu o ddifrif y syniad o un frenhiniaeth, ac Aberffraw'n symbol iddi (yn debyg i Tara i'r Gwyddelod gynt), a chyda pholisïau uchelgeisiol tywysogion Gwynedd agorir pennod newydd yn hanes y syniad o genedl Gymreig. Yr oedd yr ideoleg o undod cenedlaethol wrth gwrs yn adlewyrchu safle gwleidyddol manteisiol Llywelyn Fawr a Llywelyn ap Gruffudd, a hefyd yn ei gyfiawnhau; ond ni fu angen sefyllfa debyg ar ddeallusion Iwerddon yn gynharach yn yr oesoedd canol iddynt lunio damcaniaethau ynghylch un penarglwydd dros yr ynys, a rhaid gofyn paham y bu'r deallusion Cymreig mor araf i ddatblygu ideoleg gyffelyb mewn perthynas i'w gwlad. Yr ateb, yn syml iawn, oedd bod ganddynt ddamcaniaeth wahanol am genedligrwydd y Cymry, a dyma'r ail ffactor a rwystrai dwf y syniad o Gymru fel cenedl diriogaethol. Yn ôl y ddamcaniaeth honno, Ynys Prydain oedd gwir wlad y Cymry—neu yn hytrach y Brytaniaid—ac alltudiaeth dros dro yn unig fu eu cyfyngu i un gornel ohoni yng Nghymru.

Y mae Gerallt yn dyst i boblogrwydd y gred hon ymhlith Cymry ei ddydd:

> ymffrostiant gyda'r hyder mwyaf, a'r hyn sydd ryfedd yw bod yr holl bobl yn trigo yn y gobaith hwn, y dychwel eu cydwladwyr i'r ynys ar fyrder; ac yn ôl proffwydoliaethau eu Myrddin, gyda dileu cenedl yn ogystal ag enw'r estroniaid, bydd y Brytaniaid yn llamu gan lawenydd yn eu hen enw a'u tynged yn yr ynys.

Prysurodd i ychwanegu nad oedd sail i'r gobeithion hyn, ond ni allai wadu eu grym:

> Yn ddiau, gwasgu allan ohonynt lawer gwreichionen o ddewrder, ac yn aml wasgu arnynt anturiaeth gwrthryfel, a all eu cof parhaus am eu hen ardderchowgrwydd gynt; a'u coffa nid yn unig am eu disgynyddiaeth o wŷr Tro (Caer Droea), ond hefyd am faint a pharhad hir eu mawrhydi brenhinol tros deyrnas Prydain.

Hen syniadau oedd y rhain wrth gwrs. Olrheinir gwreiddiau'r Brytaniaid yn ôl i Brutus o Gaer Droea mor gynnar â'r nawfed ganrif yn *Hanes y Brytaniaid (Historia Brittonum)*, a dadogir ar Nennius, a bu i bobloedd eraill geisio ennill hynafiaeth urddasol (hafal i eiddo'r Rhufeiniaid) drwy hawlio cysylltiad tebyg â'r ddinas enwog—er enghraifft, y Ffranciaid yn y seithfed ganrif, a'r Sacsoniaid a'r Normaniaid yn y ddegfed.

Rhoddwyd hwb mawr ymlaen i'r syniadau hyn yng nghyswllt Cymru tua 1136-8 pan gyhoeddodd Sieffre o Fynwy ei epig ffughanesyddol, *Hanes Brenhinoedd Prydain (Historia Regum Britanniae)*. Honnai adrodd hanes y Brytaniaid o'r amser y tywysodd Brutus, ŵyr Aeneas, weddillion gwŷr Caer Droea i Brydain, hyd at farwolaeth y Brenin Cadwaladr yn Rhufain yn 689. Canolbwyntia'r llyfr ar Ynys Prydain; ei brif gymeriadau yw'r Brytaniaid, gan gynnwys Arthur. Diau i Sieffre ddod mor boblogaidd yng Nghymru oherwydd iddo gyffwrdd â themâu a thraddodiadau cynhenid y wlad, gan eu hymestyn a'u gwau i mewn i'w gampwaith llenyddol. Fel trigolion Ynys Prydain yn hytrach na Chymru y darlunnid y Cymry gan y ddysg frodorol (er enghraifft yn *Nhrioedd Ynys Prydain*), a hawdd y gellid dehongli'r hanes a gyflwynodd Sieffre fel ysbrydoliaeth i'r Cymry adfer y glendid a fu a sicrhau o'r newydd eu dyledus hawl ar yr ynys, a hynny er gwaethaf bwriad yr awdur ei hun, a bortreadai hanes y Brytaniaid fel un o nychdod a dirywiad cyson wrth iddynt golli eu gafael ar y rhan fwyaf o'r ynys i'r Saeson. Y mae'n arwyddocaol bod llyfr Sieffre wedi ei gyfieithu dair gwaith i'r Gymraeg yn y drydedd ganrif ar ddeg, ond bu'n rhaid aros tan 1938 am drosiad Cymraeg o ddau lyfr Gerallt ar Gymru. Ni allai awdur a chanddo orwelion mor gul gystadlu ag un a osodai'r Cymry yn eu cyd-destun Prydeinig priodol: drwy gyfyngu'r Cymry i Gymru, gan wrthod derbyn eu cred y deuent eto'n feistri ar yr ynys gyfan, torrai Gerallt yn groes i holl bwyslais Prydeinig y ddysg frodorol.

Eto, byddai'n gamarweiniol inni feddwl bod poblogrwydd Sieffre o Fynwy yn golygu na cheid ffyrdd gwahanol, tebycach i'r eiddo Gerallt, o edrych ar Gymru a'i phobl erbyn ail hanner y ddeuddegfed ganrif. Gellir dal yn hytrach mai dyna'r pryd y cychwynnodd y broses o ystyried Cymru yn endid gwleidyddol a daearyddol a chanddo'r hawl i deyrngarwch pennaf ei drigolion, er wrth gwrs na fu pall ar obeithion y beirdd y deuai'r Mab Darogan a fyddai'n adfer y Brytaniaid i'w dyledus le. Dyna'r gobeithion a fyddai'n cynnal Owain Glyndŵr, fel yr esboniodd yr Athro Rees Davies yn ail gyfrol *Cof Cenedl*, ac fe'u gwireddwyd ym marn rhai o leiaf pan orseddwyd Harri Tudur yn frenin Lloegr ym 1485. Ond eisoes yn oes Gerallt dechreuasid cefnu ar y dimensiwn Prydeinig, wrth i'r Cymry eu diffinio eu hunain o'r newydd. Ar ddechrau'r ddeuddegfed ganrif mae'r ffynonellau Lladin yn galw'r Cymry fel arfer yn *Britones*, trigolion *Britannia* (a allai olygu 'Cymru' yn ogystal â 'Phrydain' erbyn hynny); erbyn diwedd y ganrif cyfeirir fel arfer at y bobl fel *Walenses* a'u gwlad fel *Wallia* (neu yn rhai achosion megis Sieffre neu Gerallt, *Kambrenses* a *Kambria*, gan olrhain y geiriau yn ôl i Camber mab Brutus). Drwy fabwysiadu'r gair *Walenses*, diffiniodd y Cymry eu hunain yn ôl enw'r Saeson a'r Normaniaid ar eu gwlad. Bu newid hefyd yn y ffynonellau Cymraeg, lle

cafodd y gair *Cymry*—a ddefnyddid er y seithfed ganrif i
ddynodi'r Brytaniaid—ei addasu o tua 1100 ymlaen i
ddisgrifio'r wlad yn ogystal â'i thrigolion (arfer
orgraffyddol ddiweddar yw gwahaniaethu rhwng 'Cymry'
a 'Cymru').

Un peth sy'n gyffredin i'r newidiadau yn y ddwy iaith
yw tuedd bendant i synied am Gymru, yn hytrach na
Phrydain, fel gwlad y Cymry. Adlewyrchir yr un duedd yn
rhai o gerddi Cymraeg y cyfnod, ac fe'i gwelir hefyd yn y
rhaglithiau i'r llyfrau cyfraith. Cyfansoddwyd y cynharaf
o'r rhain sydd ar glawr ar ddiwedd y ddeuddegfed ganrif ac
ar ddechrau'r drydedd ar ddeg, a phwysleisir ynddynt fod
Hywel Dda, cynullydd honedig y gyfraith, yn frenin ar
Gymru gyfan, gan gynnig esiampl rymus o bosibl i fren-
hinoedd a thywysogion oes Gerallt a thanlinellu mai
cyfraith Cymru, ac nid Prydain, ydoedd. Serch hynny,
dim ond o dan bwysau datblygiadau gwleidyddol y
drydedd ganrif ar ddeg y tyfodd yr ymwybyddiaeth o
Gymru fel endid tiriogaethol ar garlam, a dichon fod y
llyfr cyfraith a restrodd Ddeheubarth, Gwynedd, Powys a
Lloegr fel 'y pedair gwlad hyn' yn dangos pa wledydd a
oedd yn dal i gyfrif fwyaf cyn oes Llywelyn Fawr.

Cymerai Gerallt yn ganiataol, felly, bod Cymru'n
genedl ar adeg pan oedd syniadau newydd am ei chened-
ligrwydd yn dod i'r amlwg. Anodd, serch hynny, fyddai
dal iddo gyfrannu'n uniongyrchol i ddatblygiad y syn-
iadau hynny—anelai at gynulleidfa estron yn ei lyfrau ar
y wlad, ac mae'n awgrymog nad oes sôn o gwbl am ei
ymdrech i ddyrchafu Tyddewi'n archesgobaeth mewn
unrhyw ffynhonnell Gymreig ar wahân i'w weithiau
lluosog ef ei hun. Gŵr a edrychai ar Gymru tra'n sefyll
megis ag un troed y tu allan iddi ydoedd yn y bôn, a'i
brofiad o gymdeithasau eraill yn ôl pob tebyg a'i
hysgogodd i werthfawrogi nodweddion neilltuol y
Cymry, gan roi min i'w ddisgrifiadau ohonynt. Ond nid
sylwebydd cwbl estron mohono chwaith: cafodd ei fagu

yn Nyfed, bu'n archddiacon Brycheiniog, ac felly yr oedd
yn adnabod y Deheubarth yn dda (er mae'n deg ychwan-
egu nad oedd hanner mor gyfarwydd â Gwynedd a
Phowys).

Y cyfuniad o addysg a phrofiadau y tu hwnt i Gymru â'i
adnabyddiaeth uniongyrchol o'r wlad a'r bobl sy'n
esbonio paham y bu modd iddo greu darlun dihafal ac
arloesol o'r gymdeithas yng Nghymru yn ystod ei oes, a
dyma'r agwedd bwysicaf efallai ar ei dystiolaeth am ein
gorffennol. Gadewch inni ystyried y darlun hwnnw a
cheisio pwyso a mesur ei werth. Fe'i gwelir ar ei ber-
ffeithiaf yng ngwaith mwyaf caboledig a llwyddiannus
Gerallt, sef y *Disgrifiad o Gymru*. Rhennir y gwaith yn
ddau lyfr. Mae'r cyntaf yn agor drwy ddisgrifio daearydd-
iaeth a nodweddion naturiol Cymru cyn symud ymlaen at
arferion a rhinweddau ei phobl ac yna, yn yr ail lyfr, at eu
'nodweddion anhyglod'; i gloi, yn y tair pennod olaf, mae
Gerallt yn cynnig cyngor ymarferol ar sut y gellid
gorchfygu'r Cymry a'u llywodraethu ond hefyd, yn y
bennod olaf un, awgryma sut y gallent hwythau wrth-
sefyll a diogelu eu rhyddid, gan ddiweddu â geiriau enwog
yr hen ŵr o Bencader—milwr yng ngwasanaeth Harri II,
gyda llaw:

> Ac nid unrhyw bobl arall, fel y barnaf fi, amgen na
> hon o'r Cymry, nac unrhyw iaith arall, ar Ddydd y
> Farn dostlem gerbron y Barnwr Goruchaf, pa beth
> bynnag a ddigwyddo i'r gweddill mwyaf ohoni, a
> fydd yn ateb dros y cornelyn hwn o'r ddaear.

Ni ellir gwell enghraifft o amwysedd barn Gerallt am y
Cymry na thair pennod olaf y *Disgrifiad o Gymru*.

Pa fath o gymdeithas a ddarlunnir yn y gwaith? Gellir
dechrau drwy bwysleisio mai cymdeithas arwrol ydoedd,
lle rhoddid pwyslais mawr ar achau anrhydeddus a'r
angen i ddial am bob niwed i anrhydedd, cymdeithas
nodedig o rydd, heb arglwyddi gormesol lle'r oedd 'nid yn

unig yr uchelwyr, ond yr holl bobl yn barod at arfau', a hefyd gymdeithas wedi ei rhannu a'i handwyo gan ddiffyg parch at reolau'r eglwys ar briodas, gan drawsfeddiannu tiroedd, a chan yr arferion o roi meibion ar faeth ac o rannu'r etifeddiaeth yn gyfartal rhwng pob mab, boed yn gyfreithlon neu'n anghyfreithlon. Cymdeithas ansefyd-log ydoedd, at hynny, wedi ei chynnal gan economi bugeiliol ac yn ymwrthod â thrigfannau parhaol:

> Ymbortha bron yr holl bobl ar anifeiliaid a cheirch, llaeth, caws ac ymenyn. Arferant fwyta cig yn o drwm, bara yn o ychydig. Nid ymboenant ynghylch na masnach, na llongwriaeth, na pheirianwaith, nac ynghylch odid ddim ar wahân i ymarferiadau rhyfel . . . Ni thrigant ynghyd mewn na thref, na phentref, na chaer; ond megis didryfwyr, glynant wrth y coedydd.

Gadewch inni graffu'n fanylach ar rai o'r sylwadau hyn. Cymerwn bwyslais Gerallt ar ryddid y Cymry i ddechrau: 'Ar amddiffyn eu gwlad a'u rhyddid yn unig y mae eu bryd . . . Cywilydd a ystyriant, felly, farw mewn gwely, ac anrhydedd farw mewn rhyfel.' Teg nodi mai rheidrwydd i raddau oedd ymroi cymaint i ryfel, er mwyn gwrthsefyll ymosodiadau'r Merswyr a byddinoedd brenin Lloegr, ymosodiadau a ychwanegai'n sylweddol at yr ymladd mewn gwlad a ddioddefai eisoes gan ymrafaelion mewnol. Yn wahanol i Harri II, dyweder, ni allai'r Cymry atgyfnerthu eu byddinoedd drwy gyflogi milwyr—nid oes sôn pendant am gael milwyr hur o Iwerddon ar ôl 1144—ac felly rhaid oedd iddynt ysgwyddo'r baich ar eu pennau eu hunain. Yn ogystal, yr oedd arfwisg ysgafn y Cymry a'u harfer o ymladd ar draed yn caniatáu i fwy o'r boblogaeth gymryd rhan mewn rhyfel nag mewn cym-deithasau lle byddai'r gost sylweddol o hyfforddi a chyfarparu marchogion yn cyfyngu'r bywyd milwrol i *élite.*

Nododd Gerallt agweddau eraill ar ryddid y Cymry hefyd:

> Rhoes natur iddynt i gyd yn gyffredinol, i'r distatlaf ymhlith y werin megis i'r gwŷr mawr, ehofndra wrth siarad, ac ymddiried wrth ateb yng ngŵydd tywysogion a phendefigion, ymhob math o helynt.

A thrachefn:

> Y mae'r Cymry, yn ddiau, gan na ormesir hwynt â beichiau trymfawr, ac na ddifethir hwy â gorchwylion gwasaidd, ac na flinir hwy ag unrhyw gribddail ar ran eu harglwyddi, oherwydd hynny â'u gwarrau'n syth i wthio'n ôl gamwri, oherwydd hynny yn meddu ar y fath ddewrder mawr i amddiffyn eu gwlad, oherwydd hynny yn bobl sydd bob amser yn barod i arfau a gwrthryfel.

Wrth geisio cloriannu'r gosodiadau hyn rhaid cofio eu bod yn adlewyrchu safbwynt eu hawdur yn gymaint â'r gymdeithas a'i hastudiodd. Dichon iddo bwysleisio rhyddid y Cymry i raddau er mwyn beirniadu gormes y brenhinoedd *Angevin*, fel y bu iddo'n ddiweddarach ganmol rhyddid y Ffrancwyr o dan eu brenhinoedd Capetaidd. Cymharu'r Cymry â phobloedd eraill y mae Gerallt yn anad dim, a rhyddid cymharol a bwysleisir ganddo mewn gwirionedd. Er enghraifft, pan honna fod 'yr holl bobl yn barod at arfau', at y boblogaeth rydd y mae'n cyfeirio, oherwydd ni ddisgwylid i'r taeogion gyflawni gwasanaeth milwrol fel arfer. Yn ei awydd i ddangos yr hyn a wnâi'r Cymry'n wahanol i bobloedd eraill tueddai i anwybyddu ac iselbrisio gwahaniaethau dosbarth yn y gymdeithas frodorol, er mwyn creu darlun gweddol unffurf ohoni; dyna un o ganlyniadau fframwaith ethnig y *Disgrifiad o Gymru*.

Ar ben hynny, fel aelod o deulu aristocrataidd, cymerai lafurwyr y tir—a gynhaliai'r gymdeithas drwy gynhyrchu'r warged amaethyddol—yn ganiataol, gan anwybyddu'r taeogion bron yn llwyr, er eu bod o bosibl yn ffurfio cymaint â thraean o'r boblogaeth yng Nghymru. Bach iawn o sylw a rydd hefyd i rym arglwyddiaeth. Ni cheir sôn, er enghraifft, am y taliadau y byddai'n rhaid i wŷr rhydd yn ogystal â thaeogion eu rhoi i'w harglwyddi, os oes coel ar dystiolaeth y cyfreithiau. Eto, mesur o werth Gerallt fel sylwebydd yw'r ffordd y bu iddo o leiaf gyffwrdd, bron ar ddamwain megis, â phynciau fel rhaniadau dosbarth a'r berthynas rhwng arglwydd a thenant, er na ddewisodd fanylu arnynt: byddai'r uchelwyr yn marchogaeth i ryfel tra byddai'r rhan fwyaf o'r boblogaeth yn cyrraedd ar draed, ac wrth gwyno am duedd y Cymry i drawsfeddiannu tiroedd dywedodd fod modd dal y rheini 'ar fenthyg, ar rent, ar osod, ar amod plannu, neu ar ba amod bynnag y mynnych'.

Canlyniad arall pwyslais Gerallt ar arwahanrwydd y Cymry yw ei duedd i anwybyddu'r graddau y bu iddynt gyfathrachu â phobloedd eraill a dysgu oddi wrthynt. Fel gyda'i agwedd at arglwyddiaeth, nid anwybodaeth oedd yn gyfrifol am hyn. Gwyddai'n iawn fod y gymdeithas Gymreig yn newid yn y ddeuddegfed ganrif ac nad oedd hi wedi ei hynysu gymaint oddi wrth y byd Eingl-Normanaidd ag yr awgrymai rhannau helaeth o'r *Disgrifiad o Gymru*. Tua diwedd y gwaith hwnnw gwnaeth sylw dadlennol ynglŷn â'r ffordd y daeth y Cymry i fabwysiadu dulliau newydd o ryfela: 'dysgwyd a chynefinwyd hwy yn raddol mewn trin arfau a meirch gan y Normaniaid a'r Saeson, y cawsent erbyn hyn gyfathrach â hwy trwy ganlyn y llys a rhoddi gwystlon . . .' At hynny rhaid cofio am y cydbriodi a'r cydweithio a fu rhwng y Cymry a'r newydd-ddyfodiaid yn y Mers, cyfathrach a hwyluswyd o bosibl am fod ethos arweinwyr y brodorion a'r gwladychwyr yn weddol debyg: os trown at *Y Daith* gwelwn fod nodweddion a ystyrid yn neilltuol Gymreig yn y *Disgrifiad*, megis balchder mewn tras, rhoi plant ar faeth,

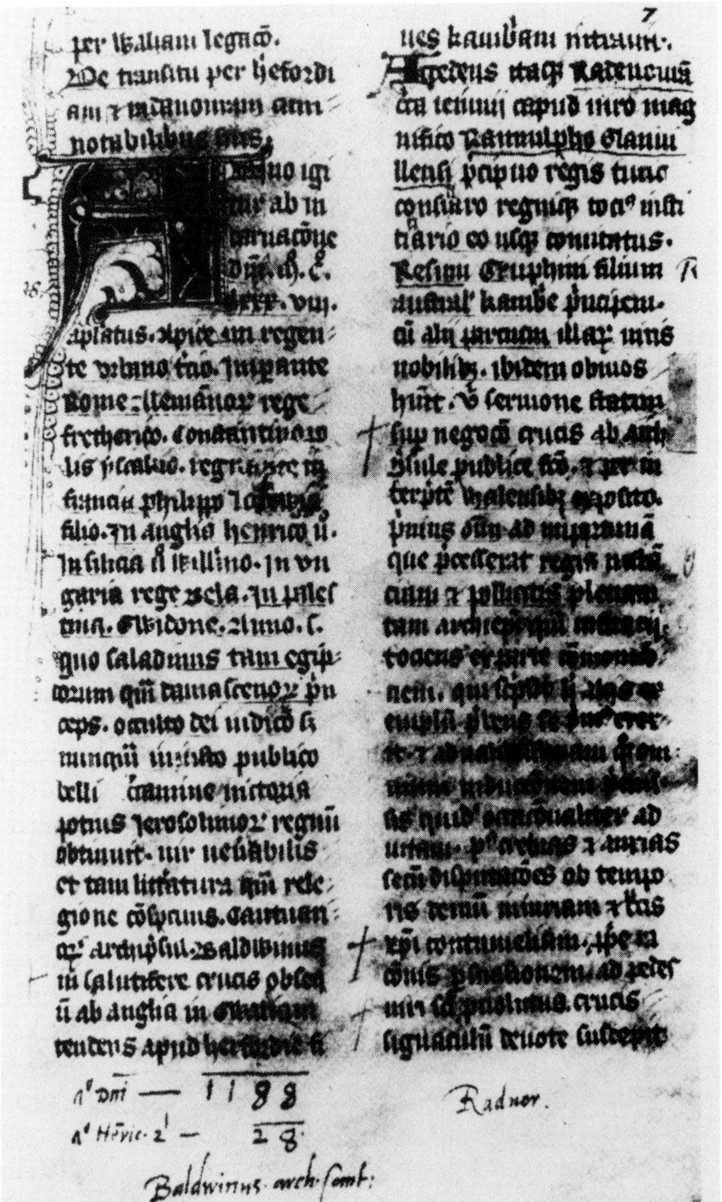

7

per Italiam legacio.
De transitu per Herefordiam et Radnoriam cum notabilibus suis.
Anno igitur ab incarnatione dominica M.C.LXXX.VIII. apostolatus apice tum regente Urbano tercio. imperante Rome et Alemannorum rege Frederico. Constantinopolitanis Ysaakio. regnante in Francia Philippo Lodowici filio. In Anglia Henrico II. In Sicilia Willelmo. In Ungaria rege Bela. In Palestina Gwidone. Anno quo Saladinus tam Egyptiorum quam Damascenorum princeps. occulto dei iudicio hominumque merito publico belli certamine victoria potitus Jerosolimorum regnum obtinuit. vir venerabilis et tam literatura quam religione conspicuus. Cantuariensis archiepiscopus Baldwinus in salutifere crucis obsequium ab Anglia in Walliam veniens apud Herefordiam

nes Kambriam intravit.
Assidentibus itaque Radenouiae [illegible] apud [illegible] magnifico Ranulpho Glanvillensi, preposito regis tunc consilio regnique totius iustitiario eo usque comitatus. Resum Griffini filium australis Kambriae principem cum aliis partium illarum [illegible] nobilibus. ibidem obvios habuit. Sermone statim super negocio crucis ab archiepiscopo publice facto et per interpretem Walensibus exposito. [illegible]

Aº Dni — 1188
Aº Henric. 2i — 28
Baldwinus arch. Cant:
Radnor.

6 Dechrau pennod gyntaf *Y Daith trwy Gymru*
(Llyfrgell Genedlaethol Cymru LLS. 3024).

neu ddial camweddau, oll i'w canfod ymhlith y Merswyr hefyd. Ac ar y llaw arall, yn ogystal â moderneiddio eu dulliau rhyfela drwy ddefnyddio arfwisg drymach a chodi cestyll—gan gynnwys rhai carreg fel yr un a adeiladodd yr Arglwydd Rhys yn Aberteifi ym 1171—ceisiodd rhai tywysogion Cymreig hybu bywyd trefol ar eu tiroedd yn oes Gerallt; cipiwyd Aberteifi a Llanymddyfri oddi ar y Merswyr gan yr Arglwydd Rhys a'u troes yn ganolfannau i'w rym, ac yng Ngwynedd clywn am fwrdeisiaid yn Nefyn erbyn 1200. Gellir dehongli'r croeso a estynnwyd i urddau crefyddol ffasiynol y Sistersiaid a'r canonwyr Awstinaidd fel enghreifftiau pellach o barodrwydd arweinwyr brodorol i'w haddasu eu hunain i'r byd ehangach o'u cwmpas.

Teg casglu felly na rydd y *Disgrifiad o Gymru* ddarlun cyflawn o'r gymdeithas Gymreig ar ddiwedd y ddeuddegfed ganrif. Eto, o'i ddarllen yn ofalus, ynghyd â llyfrau eraill Gerallt sy'n ymwneud â Chymru—yn enwedig *Y Daith*—gallwn ddarganfod llawer iawn am y wlad a'i phobl. Rhaid wrth reswm gadw cefndir a rhag-dybiaethau'r awdur mewn cof, gan geisio tynnu'n casgliadau ein hunain ynghylch yr hyn a ddisgrifiodd. Er enghraifft, drwy honni bod cadw anifeiliaid ac ymwrthod â thrin y tir yn un o nodweddion y Cymry, dichon i Gerallt gynnig esboniad ethnig am arfer y gellid ei hesbonio'n well yng nghyd-destun yr amgylchiadau: yn ei brofiad o'r Deheubarth, buasai llawer iawn o'r tir isel a fuasai'n addas ar gyfer cnydau yn nwylo'r goresgynwyr. Nododd fod yr ardal o amgylch Maenorbŷr yn gynhyrchiol mewn gwenith, ond mae ei honiad bod Môn 'yn anghymarol fwy cynhyrchiol mewn grawn gwenith na holl ardaloedd Cymru' yn ein hatgoffa y gallai'r brodorion dyfu cnydau pe caent y cyfle. Yn wir, os trown at *Historia Gruffudd ap Cynan*, gwaith a luniwyd yn wreiddiol tua 1165-70 o bosibl, clywn am drigolion Gwynedd yn 'gwneithur per-llanneu a garddeu ag eu damgylchynu a gaeu a ffossydd, a gwneithur adeiladeu murddin, ag ymborth o ffrwytheu y ddaear o ddefawt gwyr Rhufein'. Hyd yn oed os ceir yma fynegiant o ddelfryd yn hytrach na darlun manwl gywir, dengys y gallai'r Cymry goleddu agweddau tra gwahanol i'r rheini y darllenwn amdanynt ar ddalennau'r *Disgrifiad o Gymru*.

Hwyrach mai'r allwedd i werthfawrogi darlun Gerallt o'r gymdeithas Gymreig yw sylweddoli ei fod yn gynnyrch cyfnod, ac i raddau helaeth ranbarth arbennig. Seilir ei ymgais i gyffredinoli am y Cymry yn y *Disgrifiad* ar ei brofiad o'r Deheubarth yn ail hanner y ddeuddegfed ganrif yn bennaf. Nid oes syndod iddo ddisgrifio'r Cymry fel pobl ryfelgar a thlawd: yr oedd hi'n anodd i deulu brenhinol y Deheubarth sefyll yn ôl a gadael rhwydd hynt i'r Merswyr a'r goron Seisnig oresgyn a gwladychu'r wlad; ac yr oedd gwrthsefyll yn ddrud. Oherwydd i'r arweinwyr brodorol golli'r ardaloedd mwyaf cynhyrchiol i'r goresgynwyr Eingl-Normanaidd, buasai'r angen i dalu am y dulliau diweddaraf o ryfela neu i brynu heddwch drwy ddarparu teyrngedau yn golygu traul sylweddol ar adnoddau digon prin. O gofio'r ystyriaethau hyn—na ellir ond brasgyffwrdd â hwy yma—daw pwyslais Gerallt ar ryfelgarwch ac ansefydlogrwydd y Cymry, ynghyd â'u heconomi bugeiliol, yn fwy dealladwy a chredadwy.

Sut y mae pwyso a mesur lle Gerallt yn ein hanes, felly? Prin bod ei yrfa yn llwyddiant. Yn wir, dyn digon di-nod ydoedd ar un olwg; methodd ennyn sylw nemor un o'i gyfoeswyr—y mae bron popeth a wyddom amdano yn deillio o'i weithiau ef ei hun, ac oni bai am y rheini ni fyddai'n fawr mwy i ni heddiw na thyst arall ar waelod ambell siartr. Ni cheir sôn amdano o gwbl ym mhrif ffynonellau naratif Cymreig y cyfnod, yr *Annales Cambriae* a *Brut y Tywysogyon*, ac ychydig iawn o sylw a gafodd gan groniclwyr y tu allan i Gymru. Mae'r distawrwydd hwn yn ein rhybuddio rhag meddwl bod Gerallt mor bwysig ag y carasai yntau gredu ei fod; dichon iddo ganu ei glodydd ei hun mor aml oherwydd na fu eraill mor barod i'w gymryd o ddifrif. Er enghraifft, gellir amau a fu'r ymgyrch bregethu ym 1188 mor llwyddiannus, a rhan Gerallt ynddi mor allweddol, ag yr honnai ef yn *Y Daith trwy Gymru:* prin yw'r sôn am y daith yn y ffynonellau Cymreig ac anodd fyddai profi bod y rhan fwyaf o'r tair mil a recriwtiwyd yn ystod y daith (yn ôl Gerallt) wedi codi eu pac ac ymuno â'r groesgad yn y pen draw.

Eto, byddai'n annheg i fychanu Gerallt am ei fod yn meddwl gormod ohono'i hun: wedi'r cwbl, nid oes ddwywaith i'r daith bregethu esgor ar gampwaith llenyddol. Yn wir, yr oedd yr union ffactorau a rwystrodd Gerallt rhag dod ymlaen yn y byd, sef ei gefndir teuluol yn y Mers, ei ymlyniad wrth addysg hen-ffasiwn, lenyddol ei naws yn hytrach na'r rhesymeg a'r gyfraith a'i prysur ddisodlai, a'i ymroddiad i hawliau'r eglwys ac egwyddorion diwygiadol, oll yn elfennau anhepgor yn ei ddatblygiad fel un o awduron mwyaf gwreiddiol yr oesoedd canol. Felly, er na chafodd ei wobrwyo am ei ymdrechion llenyddol yn ystod ei oes, drwy fentro i feysydd newydd llwyddodd i ennill yr edmygedd y gobeithiai amdano gan genedlaethau'r dyfodol. Yn anad dim, arloesodd drwy gyfansoddi'r llyfrau cyntaf erioed am Gymru, llyfrau sy'n ceisio esbonio'r hyn a wnâi'r Cymry yn wahanol i bobloedd eraill, gan greu darlun o'u cymdeithas sydd, ar waethaf ei gyfyngiadau, yn hynod dreiddgar a difyr o hyd.

DARLLEN PELLACH

Robert Bartlett, *Gerald of Wales 1146-1223* (Rhydychen, 1982).

R. R. Davies, 'Buchedd a Moes y Cymry', *Cylchgrawn Hanes Cymru*, XII (1984-5).

R. R. Davies, *Conquest, Coexistence and Change. Wales 1063-1415* (Rhydychen a Chaerdydd, 1987).

Thomas Jones (cyfieith.), *Gerallt Gymro: Hanes y Daith trwy Gymru, Disgrifiad o Gymru* (Caerdydd, 1938).

Huw Pryce, 'In Search of a Medieval Society: Deheubarth in the Writings of Gerald of Wales', *Cylchgrawn Hanes Cymru*, XIII (1986-7).

Huw Pryce (detholwr) a Glenda Carr (cyfieith.) *Be' Ddywedodd Gerallt Gymro am ei Gyfoeswyr?* (Y Colegiwm Cymraeg, 1987).

Michael Richter, 'Gerald of Wales: A Reassessment on the 750th Anniversary of His Death', *Traditio*, XXIX (1973).

Michael Richter, *Giraldus Cambrensis: The Growth of the Welsh Nation* (ail arg., Aberystwyth, 1976).

Brynley F. Roberts, *Gerald of Wales* (Cyfres 'Writers of Wales', Caerdydd, 1982).

Brynley F. Roberts, 'Testunau Hanes Cymraeg Canol', yn *Y Traddodiad Rhyddiaith yn yr Oesau Canol*, gol. Geraint Bowen (Llandysul, 1974).

YR ESGOB WILLIAM MORGAN (1545-1604) A BEIBL CYMRAEG 1588

R. Geraint Gruffydd

. . . os na ddysgir crefydd yn iaith y bobl, fe erys yn guddiedig ac yn anhysbys.

William Morgan

Cyfieithydd y Beibl i'r Gymraeg bedwar can mlynedd yn ôl oedd William Morgan. Pan ymddangosodd ei gyfieithiad fis Medi 1588 fe gafodd, i bob golwg, groeso cyffredinol. Fyth er hynny y mae sylwebyddion a haneswyr wedi gweld ymddangosiad y cyfieithiad fel digwyddiad o'r pwysigrwydd mwyaf ym mywyd ac yn hanes Cymru. Os gofynnir y cwestiwn pam, y mae'r ateb yn ddeublyg: yn gyntaf am iddo ymddangos o gwbl ac yn ail am fod ei ansawdd mor wych. Fe hoffwn ymhelaethu rhyw gymaint ar yr ateb deublyg hwn yn y man, ond cyn hynny cystal dweud gair neu ddau am y cyfieithydd ei hun.

Ganed William Morgan yn y Tŷ-mawr, Wybrnant (neu'n hytrach, a rhoi iddo ei enw llawn, y Tyddyn Mawr ym Mlaen Wybrnant), plwyf Penmachno, sir Gaernarfon ddiwedd 1544 neu'n gynnar ym 1545—yr ail sydd debycaf. Yr oedd yn ail fab ac yn un o bum plentyn John Morgan a Lowri Wiliam, y ddau ohonynt yn hanfod o hen deuluoedd uchelwrol Cymreig. Nid ysgwïer mo John Morgan, fodd bynnag, ond yn hytrach iwmon go sylweddol yn ffermio tiroedd a oedd yn dechnegol yn eiddo i'r Goron ond a oedd ar y pryd (fe ymddengys) ym meddiant ystad Gwedir, y plasty ger Llanrwst a oedd yn gartref i deulu'r Wyniaid, y teulu pwysicaf o ddigon yn yr ardal; rhentai John Morgan bysgodlynnoedd yn afonydd Conwy a Lledr yn uniongyrchol gan Wedir hefyd. Credir bellach y gall y Tŷ-mawr presennol fynd yn ôl i gyfnod bachgendod William Morgan, onid ymhellach fyth: os felly, fe rydd syniad da am gadernid a chlydwch ei amgylchedd yn ei flynyddoedd cynnar (a dichon y bydd yr adnewyddu sydd ar droed yn awr yn dadlennu mwy ynglŷn â hyn).

Y mae'n amlwg i'r cysylltiad â theulu pwerus Gwedir fod yn fanteisiol i William Morgan ar ddechrau ei yrfa, o

33

7 Tŷ-mawr Wybrnant, man geni William Morgan:
   lluniad gan Kyffin Williams.

leiaf. Am rai cenedlaethau cadwai'r penteuluoedd gaplan
teuluol i addysgu eu plant ac yn achos Morgan fe
ymddengys i fab y tenant—os oedd John Morgan mewn
gwirionedd yn un o denantiaid Gwedir—gael cyfranogi o
wersi plant y plas. Un arall a gafodd yr un fraint, yn ôl pob
golwg, oedd mab i ŵr o Lanrwst o'r enw Siôn ap Rhys, sef
Edmwnd Prys, a oedd flwyddyn neu ddwy yn hŷn na
Morgan. Gramadeg a llenyddiaeth Ladin fyddai pwnc y
gwersi gan mwyaf, er y gellid tybio fod y cyfle wedi ei
achub hefyd i ddysgu Saesneg yn drwyadl i'r disgyblion,
yn ogystal â'u trwytho yn egwyddorion y grefydd newydd
Brotestannaidd a oedd o 1558-9 ymlaen wedi ei sefydlu'n
swyddogol fel crefydd y deyrnas. Erbyn 1565, neu efallai
flwyddyn neu ddwy ynghynt, yr oedd William Morgan ac
Edmwnd Prys wedi dysgu digon—yn arbennig o Ladin—i
fynd ymlaen i brifysgol.
    I Brifysgol Rhydychen yr âi'r rhan fwyaf o ddigon o
Gymry ifainc y cyfnod hwn: yn un peth, yr oedd yn llawer
nes na Chaergrawnt, yr unig brifysgol arall yn Lloegr. I
Gaergrawnt yr aeth William Morgan ac Edmwnd Prys,
fodd bynnag, a hynny yn ôl pob tebyg am fod brawd

8 Plasty Gwedir ger Llanrwst, lle y cafodd William Morgan ei addysg gynnar.

ysgwïer Gwedir, Morys Wynn, wedi bod yn Gymrawd o Goleg Ieuan Sant yno rhwng 1548 a 1555 ac yn dal i ymddiddori'n frwd yn y Coleg. O'r Coleg hwnnw felly yr ymunodd William Morgan ac Edmwnd Prys â'r Brifysgol yn gynnar ym 1565. Coleg cymharol newydd ydoedd ac wedi ei sefydlu'n benodol er mwyn hyrwyddo dyneiddiaeth y Dadeni Dysg—sef, yn fras, astudiaeth o'r tair iaith freiniol, Lladin, Groeg a Hebraeg a'u llenyddiaethau —yn y Brifysgol ac yn y deyrnas. Yr oedd yn flaengar yn y maes crefyddol hefyd, ac amryw o'i Gymrodyr a'i fyfyrwyr yn bleidiol i ddiwygio Eglwys Loegr ymhellach nag a wnaethid ym 1558-9 mewn materion megis gwisg eglwysig a ffurflywodraeth—hynny yw, yr oeddynt yn Biwritaniaid. Fe fanteisiodd William Morgan ac Edmwnd Prys hyd yr eithaf ar yr addysg a gyfrennid drwy'r Coleg a'r Brifysgol: astudio rhethreg a rhesymeg ac athroniaeth ar gyfer gradd B.A., rhagor o athroniaeth, seryddiaeth, mathemateg a Groeg ar gyfer gradd M.A., rhagor o Roeg, diwinyddiaeth a Hebraeg ar gyfer gradd B.D. Fe gymerodd William Morgan bob un o'r tair gradd hyn (ym 1568, 1571 a 1578) a gradd D.D. yn ogystal (ym 1583): fe fodlonodd Edmwnd Prys ar y ddwy gyntaf yn unig, er iddo gael ei ethol yn Gymrawd ei Goleg ym 1570 a pharhau yn y swydd hyd 1577. Nid oes unrhyw amheuaeth nad yng Nghaergrawnt y gosodwyd seiliau ysgolheictod Beiblaidd cadarn William Morgan, yn enwedig yn yr Hebraeg, wrth draed darlithwyr fel y Ffrancwyr Anthony Chevallier a Philip Bignon, ynghyd ag amryw Saeson dysgedig. Ond y mae'n ymddangos iddo ymwrthod o'r cychwyn â'r demtasiwn i ddilyn llwybr y Piwritaniaid a'i fod wedi ochri'n hytrach â phlaid eu gwrthwynebwr mawr John Whitgift, Athro Diwinyddiaeth y Goron o 1567 ymlaen a Meistr Coleg y Drindod o 1570. Ni ellid dweud amdano (nac am Edmwnd Prys ychwaith) fel y dywedwyd am grynswth aelodau ei Goleg ym 1573:

prin fod hogyn yno nad yw'n cludo yn ei ben
gynllun [Piwritanaidd, bid siŵr] ar gyfer diwygio
ffurflywodraeth eglwysig.

Fis Ebrill 1568 fe urddwyd William Morgan yn ddiacon
gan Esgob Ely (yr un diwrnod ag yr urddwyd Prys yn
offeiriad) ac fe dderbyniodd urddau offeiriad ar law'r un
Esgob wyth mis yn ddiweddarach. Ym 1572 y cafodd ei
fywoliaeth eglwysig gynharaf, sef Ficeriaeth Llanbadarn
Fawr yn sir Aberteifi, yn ôl pob tebyg trwy benodiad yr
Esgob Richard Davies o Dyddewi. Nid yw'n debyg iddo
fyw rhyw lawer yn Llanbadarn, fodd bynnag, gan ei fod yn
dal i astudio ar gyfer ei radd B.D. Ym 1575 fe'i gwnaed yn
Ficer y Trallwng yn sir Drefaldwyn gan yr Esgob William
Hughes o Lanelwy ond nid yw'n debyg iddo fyw rhyw
lawer yno chwaith, a hynny am yr un rheswm. Ym 1578,
fodd bynnag, fe gwblhaodd y gofynion ar gyfer gradd B.D.
ac fe'i penodwyd gan yr Esgob Hughes yn Ficer Llan-
rhaeadr-ym-Mochnant ar y ffin rhwng sir Drefaldwyn a sir
Ddinbych ac yno y bu am ddwy flynedd ar bymtheg.
(Cafodd amryw fywoliaethau eraill gan yr Esgob o bryd i'w
gilydd, ond heb fod unrhyw ddyletswyddau ynglŷn â hwy,
yn unig er mwyn ychwanegu at ei gyflog.)
    Yn fuan wedi mynd i Lanrhaeadr fe briododd William
Morgan weddw ifanc o'r enw Catherine George (ei gŵr
cyntaf oedd uchelwr o Lanfair Talhaearn o'r enw Wiliam
Dafydd Llwyd). Ni bu plant o'r briodas, a nai William
Morgan, Ifan Morgan, a gafodd y nodded y byddai ei fab
wedi ei derbyn petai ganddo un: cafodd hwnnw yrfa
addysgol ac eglwysig ddigon boddhaol, er na ddisgleiriodd
fel ei ewythr. Yr oedd Catrin yn perthyn drwy ei phriodas
gyntaf i deulu o uchelwyr pur bwerus o blwyf cyfagos
Llansilin, teulu Maredudd y Lloran Isaf. Yn gynnar iawn
yn ystod ei yrfa yn Llanrhaeadr fe aeth William Morgan i
drafferth ddifrifol gyda'r teulu hwn, yn enwedig gyda'r
penteulu, Ifan Maredudd, a oedd yn dwrnai yng Nghyngor

Cymru a'r Gororau yn Llwydlo. Yr oedd pechod William Morgan yn ddeublyg: bod yn dyst mewn achos o briodas afreolaidd yn erbyn Ifan Maredudd a'i wraig, a helpu brawd ei hen noddwr, Morys Wynn o Wedir, i briodi aeres ifanc o'r gymdogaeth yr oedd nai Ifan Maredudd hefyd a'i lygad arni. Canlyniad hyn oedd gelyniaeth anghymodlon, cryn dipyn o derfysg gartref, a chyfres hir o achosion cyfreithiol yn Llys yr Esgob yn Llanelwy, Llys yr Uchel Gomisiwn yn Llundain, Llys Cyngor Cymru a'r Gororau (lle yr oedd Ifan Maredudd yn naturiol yn fawr ei ddylanwad) a Llys Siambr y Seren yn Llundain. Y mae rhai o'r cyhuddiadau a gyfnewidir yn ystod yr achosion hyn yn enllibus (ac annhebygol) i'r eithaf, a phrin fod gan Ifan Maredudd yr un gair da i'w ddweud am Forgan a'i wraig, na Morgan amdano yntau. Yn y diwedd bu raid i fab Morys Wynn o Wedir, John Wynn (Syr John yn ddiweddarach), ymyrryd i drefnu cymod rhwng y ddwyblaid, ond gan adael William Morgan gryn dipyn yn dlotach yn ariannol, meddai ef.

Ac eto yn ystod yr helyntion hyn y llwyddodd Ficer Llanrhaeadr i orffen y gwaith a ddechreuasai William Salesbury a'i gyd-weithwyr Richard Davies a Thomas Huet ym 1567, sef cyfieithu'r Beibl cyfan i'r Gymraeg. Y mae'n sicr nad oedd yn brin o benderfyniad: yn wir fe ddywedai ei wrthwynebwyr amdano ei fod yn llawn ystyfnigrwydd mulaidd. Heb y penderfyniad hwn, y gellir yn rhwydd gydnabod iddo droi'n ystyfnigrwydd ar brydiau, y mae'n sicr na fyddai wedi gallu dwyn gwaith mawr ei fywyd i ben. Golygai'r gwaith hwnnw gyfieithu'r Hen Destament (ar wahân i'r Salmau) a'r Apocryffa o'r newydd a diwygio cyfieithiad Salesbury a'r lleill o'r Testament Newydd a'r Salmau. Tebyg iddo ddechrau ar y gwaith yn lled fuan wedi iddo fynd i Lanrhaeadr, gorffen cyfieithu Pum Llyfr Moses tua 1583 (a derbyn cefnogaeth allweddol gan John Whitgift, a oedd newydd gael ei ddyrchafu'n Archesgob Caer-gaint pan oedd ar ddigalon-

Testament
Newydd ein Arglwydd
IESV CHRIST.

Gwedy ei dynnu, yd y gadei yr ancyfia=
ith, 'air yn ei grypdd oʒ Groec a'r Llatin, gan
newidio ffurf llythyʒen y gairiae-dodi. Eb law hyny
y mae pop gair a dybiwyt y bot yn andeallus,
ai o ran lleoiaith y'wlat, ai o ancynefin=
der y debnypdd, wedy ei noti ai eg=
lurhau ar 'ledemyl y tu da=
len gyoʒychiol.

bot golauni ir byt, a' charu o ddynion y tywyllwch

Matheu x iii,f.

Gwerthwch a reddwch o'ru id
(Llyma'r Menke mae'r nidd
Ac mewn ban engon ty byld)
I gael y Perl goci hap wedd.

9 Wyneb-ddalen *Testament Newydd* William Salesbury (1567): sylwer
ar y llun yn egluro'r adnod sydd o'i gwmpas, a'r englyn proest yn crynhoi
Dameg y Perl Gwerthfawr.

Y BEIBL CYS-SEGR-LAN. SEF YR HEN DESTA-MENT, A'R NEWYDD.

2. *Timoth.* 3. 14, 15.

Eithr aros di yn y pethau a ddyſcaiſt, ac a ymddyried-
wyd i ti, gan wybod gan bwy y dyſcaiſt.
Ac i ti er yn fachgen wybod yr ſcrythur lân, yr hon
ſydd abl i'th wneuthur yn ddoeth i iechydwria-
eth, trwy'r ffydd yr hon ſydd yng-Hriſt Ieſu.

Imprinted at London by the Deputies of
CHRISTOPHER BARKER,
Printer to the Queenes moſt excel-
lent Maieſtie.

1588.

10 Wyneb-ddalen *Beibl Cyssegr-lan* William Morgan (1588):
sylwer ar yr Arfau Brenhinol ar y brig a'r adnod yn crynhoi
arwyddocâd y Beibl i'r cyfieithydd.

ni), gorffen cyfieithu ac adolygu'r gweddill erbyn haf 1587 ac yna dreulio blwyddyn yn Llundain yn gofalu am y llyfr fel yr âi drwy wasg (neu weisg) dirprwyon Christopher Barker, Argraffydd y Frenhines, a oedd yn unig â'r hawl i argraffu Beiblau. Tra oedd yn Llundain arhosai yn Abaty Westminster dan nawdd y Deon, Gabriel Goodman o Ruthun, er i'r Archesgob yntau gynnig llety iddo ym Mhalas Lambeth ar draws yr afon: yr oedd yr Archesgob yn arbennig o awyddus i weld y Beibl yn ymddangos yn fuan er mwyn rhoi taw ar gyhuddiadau'r Piwritan John Penry, a oedd yn drwm iawn ei lach ar yr Eglwys yng Nghymru ar y pryd. Erbyn mis Medi 1588 yr oedd y cyfieithiad yn barod, ynghyd â Llyfr y Salmau wedi ei argraffu ar wahân, a gorchmynnodd y Cyfrin Gyngor eu bod yn cael eu dosbarthu i'r plwyfi. Gallai William Morgan yntau bellach droi tuag adref i wynebu llid Ifan Maredudd unwaith yn rhagor!

Ar waethaf y gamp a gyflawnasai, a gydnabyddid yn gyffredinol, bu raid i William Morgan aros am saith mlynedd eto yn Llanrhaeadr cyn symud oddi yno i borfeydd a oedd o leiaf yn ymddangos yn frasach (fe ddywedodd yn ddiweddarach y buasai wedi bod yn well arno petasai wedi aros yn Llanrhaeadr!). Ym 1595 fe aeth esgobaethau Bangor a Llandaf yn wag ac fe gafodd Morgan fynd i Landaf a'i gyfaill coleg Richard Vaughan o Nyffryn yn Llŷn fynd i Fangor (a oedd, o'r ddwy, yn talu ychydig yn well). Ym Matharn ger Cas-gwent ar y ffin â Lloegr y trigai William Morgan a'i wraig ac y mae'n sicr fod y lle yn ymddangos yn ddigon dieithr iddynt ar ôl Cymreictod gwledig Llanrhaeadr. Cafodd Morgan yrfa ddigon didram-gwydd fel Esgob Llandaf, er bod yr esgobaeth gyda'r waethaf yn y wlad o safbwynt amlder gwrthodwyr Catholig—hynny yw, y rhai a wrthodai fynd, fel yr oedd y gyfraith yn hawlio, i wasanaethau'r eglwys newydd a sefydlasid gan Elisabeth I ym 1558-9. Gallodd William Morgan barhau i raddau â'i waith llenyddol a chyhoeddi

golygiad newydd pwysig o'r *Llyfr Gweddi Gyffredin* ym
1599, golygiad a oedd yn corffori fersiwn diwygiedig o'r
llithoedd a chan hynny'n cynnig rhagflas o'r *Testament
Newydd* diwygiedig yr oedd William Morgan wedi ei addo
er 1588—ysywaeth aeth llawysgrif hwnnw ar goll pan fu
raid i'r cyhoeddwr Thomas Salisbury ffoi o Lundain yn
ystod Pla Mawr 1603. Y gŵr a'i helpodd gyda'r gwaith
hwn, yn ôl pob tebyg, oedd ei gaplan John Davies o
Lanferres, a oedd wedi bod gydag ef yn Llanrhaeadr cyn
mynd yn fyfyriwr i Goleg yr Iesu, Rhydychen, wedi dych-
welyd ato i Lanrhaeadr ar ôl gorffen (dros dro) ei gwrs yn
Rhydychen, ac wedi mynd gydag ef i Landaf ym 1595: ef,
yng nghyflawnder yr amser, a fyddai'n diwygio Beibl
William Morgan gyda'i frawd-yng-nghyfraith, yr Esgob
Richard Parry, a rhoi inni *Fibl Cyssegr-lan* 1620, y peth
nesaf at Fersiwn Awdurdodedig a gafodd Cymru erioed; ef
hefyd, yng nghyflawnder yr amser, a fyddai'n tyfu'n
bennaf ysgolhaig ieithyddol y Dadeni Dysg yng Nghymru,
gyda'i *Antiquae Linguae Britannicae . . . Rudimenta*
(1621) a'i *Antiquae Linguae Britannicae . . . Dictionarium
Duplex* (1632), ei ramadeg a'i eiriadur enwog. Gŵr arall a
noddwyd gan William Morgan tra oedd yn Llandaf oedd
Edward James, a fuasai'n Gymrawd yng Ngholeg yr Iesu (a
chan hynny, yn ôl pob tebyg, yn diwtor i John Davies) ac
a gafodd ddyrchafiad sydyn yn Esgobaeth Llandaf o 1596
ymlaen: y mae delw William Morgan i'w gweld yn drwm
ar y cyfieithiad gwych o 'Homilïau' Eglwys Loegr a
gyhoeddodd Edward James ym 1606.

Ym 1600 bu farw William Hughes, Esgob Llanelwy er
1573, a'r flwyddyn wedyn trosglwyddwyd William
Morgan i Lanelwy o Landaf: yr oedd yr Archesgob
Whitgift a'r Deon Goodman yn bleidiol i'r symudiad, yn
ogystal â John Wynn o Wedir. Er bod Llanelwy yn
gyfoethocach esgobaeth o gryn dipyn na Llandaf (fe'i
galwai un o'i ragflaenwyr yno ei hun yn 'Esgob Aff' gan
fod yr esgobion blaenorol, meddai ef, wedi cludo ymaith

11 Gabriel Goodman (1528-1601), brodor o Ruthun a fu'n ddeon Abaty
Westminster 1561-1601: ef a roddodd lety i William Morgan yn yr Abaty
tra oedd yn goruchwylio argraffu'r Beibl.

12   John Whitgift (*c.* 1530-1604), Archesgob Caer-gaint 1583-1604 a
noddwr cyson i William Morgan yn ei fwriad i argraffu'r Beibl.

y 'Land'!), yr oedd plas yr Esgob yn adfail ac yn nhŷ'r Archddiacon yn y Ddiserth y preswyliai William Morgan a'i wraig. Ac yntau'n nesáu at ei drigain oed ac ar un olwg yn dychwelyd adref, gellir tybio fod Morgan yn edrych ymlaen at gyfnod o esmwythyd cymharol yn ei esgobaeth newydd. Ond, ysywaeth, nid felly y bu. Bu lawn mor boeth arno yno ag y buasai yn Llanrhaeadr. Y rheswm am hynny yw iddo dynnu yn ei ben ddau o uchelwyr mwyaf pwerus yr esgobaeth, Dafydd Holland o Deirdan ym mhlwyf Abergele ym 1602 a neb llai na John Wynn o Wedir ei hun y flwyddyn wedyn (yn eironig ddigon, John Wynn a oedd wedi cymodi rhwng Holland a William Morgan). Asgwrn y gynnen yn y ddau achos oedd degymau plwyfi, Abergele yn y naill achos, Llanrwst yn y llall. Yn fyr, mynnai'r uchelwyr gael y degymau i'w dwylo eu hunain, tra gwrthodai Morgan ganiatáu hynny am ei fod yn dadlau—yn gwbl gyfiawn—mai er cynhaliaeth yr Eglwys y'u bwriadwyd. (Teg ychwanegu mai ei gynhaliaeth ef ei hun a oedd ganddo mewn golwg yn y naill achos a'r llall, ond prin fod hynny'n effeithio ar yr egwyddor a oedd yn y fantol.) Y mae'r ohebiaeth rhwng William Morgan a John Wynn ynglŷn â Llanrwst o hyd ar gael a diddorol odiaeth yw ei darllen: Wynn (nid heb beth achos) yn amlwg yn teimlo ei fod wedi cael cam, a hynny gan un yr haeddai well ar ei law ac a oedd sut bynnag gryn dipyn yn is nag ef o ran safle cymdeithasol, esgob neu beidio; Morgan, ar y llaw arall, yn gynnil a chwrtais ond yn gwbl ddi-ildio. Ac ni raid tybied mai hunan-les yn unig a oedd yn ei ysgogi. Yr oedd yn wir Dad yn Nuw a'i ofal dros feddiannau'r Eglwys yn daer a chyson. Gwnaeth bopeth yn ei allu i hyrwyddo pregethu yn yr esgobaeth, heblaw ymdrechu o'i gyflog cymharol brin i atgyweirio'r Eglwys Gadeiriol a phlas yr Esgob wedi'r difrod a wnaethid iddynt yn ystod teyrnasiad faith ac esgeulus ei ragflaenydd. Bu farw wedi hir waeledd 10 Medi 1604 a'i gladdu'r diwrnod wedyn yn ei Gadeirlan. Prin flwyddyn y goroesodd ei wraig ef ac yng Nghroesoswallt, ei hen gartref, y claddwyd hi. Ychydig dros ganpunt oedd gwerth eiddo personol Morgan pan fu farw, er ei bod yn debyg fod ganddo brydlesi ar diroedd y gallai eu trosglwyddo i'w etifeddion pe dymunai. Sut bynnag, y mae'n amlwg iddo wrthod defnyddio ei safle yn yr Eglwys i'w gyfoethogi ei hun, fel y gwnâi cynifer o'i gymheiriaid ar y fainc esgobol yn ei ddydd, ac y mae hynny'n glod iddo. Cawsai'r gair yng Nghaergrawnt o fod yn grintach—canlyniad magwraeth gynnil efallai—ac yr oedd Ifan Maredudd yn uchel ei gloch ynglŷn â'i ddiffyg elusengarwch tuag at dlodion, ond gwahanol yw tystiolaeth pob ffynhonnell arall sydd gennym, gan gynnwys yr awdl a'r pedwar cywydd ar ddeg a ganwyd iddo ef a'i wraig gan wyth bardd proffesiynol yn Llanrhaeadr, Matharn a'r Ddiserth.

Dyna amlinelliad o yrfa'r Esgob William Morgan. Nid oes dim ynddi sy'n hynod iawn, ar wahân i'w gyfieithiad o'r Beibl (ysywaeth collwyd pregeth angladdol y bwriadai ei chyhoeddi ym 1588 a hefyd eiriadur Cymraeg a wnaethai). Cafodd ei gyfaill Richard Vaughan, a aeth i Fangor yn ei le ym 1595 a'i drosglwyddo oddi yno i Gaer ym 1597 ac i Lundain ym 1604, yrfa fwy llwyddiannus o gryn dipyn yng ngolwg y bydol-ddoeth ar y pryd. Dichon y dywedid yr un peth am ei gyfaill arall Gabriel Goodman, a fu'n Ddeon Westminster am ddeugain mlynedd heb orfod plygu i arch yr un esgob. Ac eto prin fod neb yn cofio am na Vaughan na Goodman erbyn hyn, tra cofir am Forgan o leiaf gyhyd ag y pery'r Gymraeg ar gyfrif *Beibl Cyssegr-lan* 1588. Gwell inni droi ein sylw felly at y Beibl hwnnw. Dywedais ar y dechrau fod dwy sail i'w bwysigrwydd: yn gyntaf y ffaith ei fod wedi ymddangos o gwbl ac yn ail ei ansawdd gwych. Ystyriwn y naill beth a'r llall yn fyr.

Drwy Ddeddfau Uno 1536 a 1543 fe wnaed Cymru'n ymarferol yn rhan o deyrnas Lloegr ac yr oedd deddfau Lloegr bellach i'w cymhwyso at Gymru. Yn eu plith yr

oedd y deddfau a oedd yn graddol droi Lloegr yn wlad
Brotestannaidd yn hytrach na Phabyddol, ac yn gorch-
ymyn fod Beibl Saesneg (o tua 1538 ymlaen) a Llyfr
Gweddi Gyffredin Saesneg (o 1549 ymlaen) i'w darllen
ym mhob eglwys blwyf yn y deyrnas. Yr oedd hyn, wrth
gwrs, ar gefn yr alltudio a fu ar y Gymraeg fel iaith
swyddogol drwy'r Deddfau Uno. Bu adwaith pabyddol
dan y Frenhines Mari (1553-8) ond setlwyd y mater yn
derfynol gyda dyfodiad Elisabeth I i'r orsedd ym 1558 a
phasio'r Deddfau Uchafiaeth ac Unffurfiaeth y flwyddyn
wedyn: math o Brotestaniaeth fyddai crefydd swyddogol
Lloegr (a Chymru) o hynny ymlaen, er nad y math hwnnw
o Brotestaniaeth a foddhâi'r sawl a oedd wedi eistedd wrth
draed Diwygwyr mawr y Cyfandir ychwaith—dyma'r
Piwritaniaid, yr ydym eisoes wedi cyfarfod â hwynt. Ond
y pwynt ar hyn o bryd yw fod y sefyllfa hon yn berygl
marwol i'r iaith Gymraeg: pe na chlywid ond Saesneg yn
y cannoedd eglwysi plwyf ar hyd a lled y wlad, yr oedd yn
rhaid i bob aelod o'r boblogaeth—uniaith Gymraeg gan
mwyaf—eu mynychu, yn enwedig o gofio mai Saesneg a
glywid o enau pob gŵr cyfraith a gweinyddwr hefyd, buan
iawn y dirywiai'r Gymraeg yn ddim ond clytwaith o
dafodieithoedd dirmygedig, ac ni ellid disgwyl iddi fyw yn
hir iawn wedyn. Fe'i haberthid ar allor egwyddor Unffurf-
iaeth, a oedd yn agos iawn at galon meddylwyr politicaidd
cyfnod y Dadeni Dysg mewn llawer gwlad. Ond yr oedd ar
gael grŵp bychan o Gymry dylanwadol nad oedd yn
fodlon goddef y dynged a wynebai eu hiaith. Yr oeddynt i
gyd yn ddyneiddwyr—cawn fanylu ychydig ar beth a
olygai hyn yn y man—ond pwysicach o'n safbwynt ni ar
hyn o bryd yw eu bod hefyd yn Brotestaniaid. Oherwydd
fel Protestaniaid gallent apelio at uwch egwyddor nag
Unffurfiaeth, sef yr egwyddor fod gan bob crediniwr yr
hawl i ddarllen y Beibl drosto'i hun. Seiliwyd honno yn ei
thro ar ddwy athrawiaeth Brotestannaidd sylfaenol:
Offeiriadaeth yr Holl Gredinwyr ar y naill law, a'r gred

mai'r Beibl (ac nid yr Eglwys) oedd yr awdurdod terfynol ym materion ffydd a buchedd ar y llaw arall. A gosod y peth mewn termau llai haniaethol: drwy'r Beibl y llefarai Duw y Gair am Iesu Grist a waredai ddyn o'i golledigaeth ped ymatebai mewn ffydd iddo, ac yr oedd gan bob dyn yr hawl i wrando'r Gair hwnnw drosto'i hun.

Fe geir y dyneiddwyr Cymraeg yn dechrau aflonyddu ynglŷn â'r mater hwn yn bur gynnar yn hanes y Diwygiad Protestannaidd yn Lloegr. Mewn dau o'r llyfrau print cynharaf i ymddangos yn Gymraeg, *Yn y llyfr hwn* Syr Siôn Prys (1546) a *Holl synnwyr pen Cymro ynghyd* William Salesbury (1547?), y mae'r awduron yn mynegi dymuniad fod y Beibl ar gael yn Gymraeg ar gyfer y bobl. Fe aeth William Salesbury ymhellach na mynegi dymuniad, ac ym 1551 fe gyhoeddodd ei gyfieithiad ei hun o'r llithoedd a ddarllenid yn yr eglwysi adeg gwasanaeth y Cymun (a adwaenir bellach wrth y teitl talfyredig *Cynifer llith a ban*), gan apelio at bedwar esgob Cymru ac esgob Henffordd—yr oedd llawer o Gymry Cymraeg yn ei esgobaeth—i'w gymeradwyo. (Diddorol nodi fod Salesbury—uchelwr o Lanrwst—yn perthyn o bell i Edmwnd Prys a William Morgan, trwy waed yn y naill achos a thrwy briodas yn y llall.) Wedi dyfodiad Elisabeth i'r orsedd a diogelu Protestaniaeth, aeth ati (yn ôl ei anogaeth ef ei hun ym 1547) i ddeisebu'r Cyfrin Gyngor ac i baratoi Mesur Seneddol i'w gyflwyno i Ail Senedd Elisabeth a ddechreuodd eistedd yn gynnar ym 1563. Drwy help Humphrey Lhwyd o Ddinbych—dyneiddiwr arall—yn Nhŷ'r Cyffredin, a'r Esgob Richard Davies yn Nhŷ'r Arglwyddi, fe gliriodd y Mesur bob camfa seneddol a derbyn sêl bendith y Frenhines 10 Ebrill 1563. Yn ei ffurf derfynol gorchmynnai i'r pum esgob beri cyfieithu'r Beibl a'r Llyfr Gweddi Gyffredin erbyn 1 Mawrth 1567 (ar boen cael eu dirwyo £40 yr un, sef cyfran nid bechan o'u hincwm blynyddol), a hefyd fod Beiblau a Llyfrau Gweddi Saesneg yn cael eu prynu gan y plwyfi Cymraeg er mwyn

i'r plwyfolion allu dysgu Saesneg ynghynt wrth gym-
haru'r ddau fersiwn. Dywedaf 'yn ei ffurf derfynol' gan
mai cymal a ychwanegwyd yn ystod ymdaith y Bil drwy
Dŷ'r Arglwyddi yw'r olaf ynglŷn â phrynu'r Beiblau
Saesneg, ac y mae'n amlwg mai cyfaddawd ydoedd i
gwrdd â gwrthwynebiad a oedd wedi codi. Flynyddoedd
yn ddiweddarach fe gyfeirir at y gwrthwynebiad hwn, yn
gynnil gan Forgan ei hun yn ei gyflwyniad o'i Feibl i'r
Frenhines Elisabeth ac yn fwy huawdl gan Forus Cyffin yn
rhagymadrodd ei gyfieithiad o *Apologia Ecclesiae
Anglicanae* yr Esgob John Jewel, sef *Deffyniad Ffydd
Eglwys Loegr* (1595, ond yn ddiweddar ym 1594 yr
ysgrifennwyd y rhagymadrodd). Dyma eiriau Morgan,
yng nghyfieithiad rhagorol Mr. Ceri Davies:

Os myn rhai pobl, er mwyn ceisio sicrhau cytgord,
y dylid gorfodi'n cydwladwyr i ddysgu'r iaith Saes-
neg yn hytrach na chael cyfieithu'r Ysgrythurau i'n
hiaith ni, fe ddymunwn i iddynt, yn eu sêl dros
undod, fod yn fwy gwyliadwrus rhag sefyll yn
ffordd y gwirionedd; ac yn eu hawydd i hyrwyddo
cyd-ddealltwriaeth, dymunaf arnynt fod yn fwy
awyddus fyth i beidio â disodli crefydd. Oblegid er
bod cael trigolion yr un ynys i ddefnyddio'r un iaith
a'r un ymadrodd yn beth sydd i'w fawr ddymuno,
eto dylid ystyried ar y llaw arall fod maint yr amser
a'r drafferth a gymerai i gyrraedd at y nod hwnnw
yn golygu ewyllysio, neu o leiaf ganiatáu, fod pobl
Dduw yn y cyfamser yn marw o newyn am Ei Air
Ef, a byddai hynny'n beth llawer rhy farbaraidd a
chreulon. Yna, ni ellir amau nad yw cyffelybrwydd
a chytgord mewn crefydd yn cyfrif mwy tuag at
undod na chyffelybrwydd a chytgord iaith. Heblaw
hynny, nid yw dewis undod yn hytrach na defos-
iwn, cyfleustra yn hytrach na chrefydd, a rhyw fath
o gyd-ddealltwriaeth allanol rhwng dynion yn lle'r

tangnefedd hwnnw y mae Gair Duw yn ei argraffu ar enaid dyn—nid yw hyn oll yn arwyddo duwioldeb digonol. Yn olaf, mor ddiffygiol mewn synnwyr yw'r rheini sy'n tybio fod gwahardd cael Gair Duw yn y famiaith yn rhywfaint o gymhelliad i ddysgu iaith estron! Oblegid os na ddysgir crefydd yn iaith y bobl, fe erys yn guddiedig ac yn anhysbys. Pan yw dyn heb wybod rhywbeth, nid oes ganddo wybodaeth ychwaith am y defnyddioldeb, y melystra a'r gwerth a berthyn i'r peth hwnnw, ac ni bydd yn barod i ddygymod â'r llafur lleiaf er mwyn ei ennill.

A dyma eiriau enwocach Morus Cyffin:

A chymesur yw adrodd i ti yn hyn o fan pa ddialedd a llwyr-gam a wnaeth gŵr eglwysig o Gymru mewn Eisteddfod [h.y., cynulliad o ryw fath]. Pan grybwyllwyd am roi cennad i un celfydd i brintio Cymraeg, yntau a ddoedodd nad cymwys oedd adael printio math yn y byd ar lyfrau Cymraeg, eithr ef a fynnai i'r bobl ddysgu Saesneg a cholli eu Cymraeg gan ddoedyd ymhellach na wnâi'r Beibl Gymraeg ddim da, namyn llawer o ddrwg. Wele, on'd rhinweddol a naturiol oedd fod yn Eglwyswr fel hyn? A allai Ddiawl ei hun ddoedyd yn amgenach? Nid digon oedd ganddo ef sbeilio'r cyffredin am eu da daearol, ond ef a fynnai gwbl-anrheithio eu heneidiau hwy yn ogystal. Herwydd pwy ni ŵyr mor amhosibl fyddai dwyn yr holl bobl i ddysgu Saesneg ac i golli eu Cymraeg; ac mor resynol yn y cyfamser fyddai colli peth aneirif o eneidiau dynion eisiau dysg a dawn i'w hyfforddi? Onid tebyg oedd hwn i'r ci yn gorwedd yn y preseb, ni wnâi na bwyta gwair ei hun na gadael i'r ych bori chwaith? Na bo gwell helynt ei enaid ef nag oedd ei

ystyriaeth ef am eneidiau eraill. Doeted pawb
'Amen!', ac na chlywer byth mwy sôn amdano.

Ar ddiwedd ei gyflwyniad i'r Frenhines enwodd
William Morgan dri gŵr a fuasai o gymorth cyffredinol
iddo: Dr. David Powel, Ficer Rhiwabon, Edmwnd Prys a
Richard Vaughan. Y mae'r copi a gyflwynodd y
cyfieithydd i Dr. David Powel o hyd ar gael yn llyfrgell
Prifysgol Harvard. Gyferbyn â'r darn o'r cyflwyniad a
ddyfynnwyd uchod fe sgrifennodd rhywun—Powell,
mae'n debyg—y geiriau 'D. Hughes'. Anodd meddwl nad
at Dr. William Hughes, Esgob Llanelwy o 1573 hyd 1600,
y cyfeirir. Os felly, gellir damcaniaethu ei fod wedi
gwrthwynebu argraffu yn Gymraeg ac yn sgîl hynny
gyfieithu'r Beibl i'r Gymraeg yng Nghonfocasiwn
Eglwysig 1563 a gydeisteddai â'r Senedd; gall fod yn
arwyddocaol fod Salesbury a'r cyhoeddwr John Waley
wedi methu yn eu cais i sicrhau patent i gyhoeddi'r Beibl
Cymraeg a llyfrau eraill tua'r adeg hon, er i Waley lwyddo
i gael caniatâd i gyhoeddi'r Litani yn Gymraeg, peth a
hawlid gan Ddeddf 1563. Gellir damcaniaethu ymhellach
fod Dr. William Hughes wedi cael gan Thomas Howard,
Dug Norfolk, yr oedd yn gaplan iddo ar y pryd,
wrthwynebu'r Mesur dros gael Beibl Cymraeg yn Nhŷ'r
Arglwyddi ac mai dyna pam yr ychwanegwyd y cymal yn
gorchymyn prynu Beiblau Saesneg. Daeth William
Hughes dan ymosodiad yn ei esgobaeth ar gyfrif ei
ariangarwch a'i aneffeithiolrwydd yn ystod y cyfnod
1587-8, ac y mae'n bur debyg i Forus Cyffin, brodor o
Groesoswallt, ddod i glywed am hyn: gan hynny, o bosibl,
ei gyfeiriad cynnil at 'sbeilio'r cyffredin am eu da daearol'.
Dylid, fodd bynnag, ychwanegu dwy ystyriaeth a eill beri
amau'r ddamcaniaeth uchod. Yn gyntaf nid oes unrhyw
dystiolaeth fod William Hughes yn bresennol yng
Nghonfocasiwn 1563 (yr oedd Dug Norfolk *yn* bresennol
pan drafodwyd Mesur y Beibl yn Nhŷ'r Arglwyddi). Yn

ail, wedi iddo ddod yn Esgob Llanelwy ym 1573 fe
gefnogodd Hughes William Morgan hyd eithaf ei allu ac
fe'i henwir, gyda Hugh Bellot, Esgob Bangor, ar ddiwedd
cyflwyniad Beibl 1588 fel un a roes fenthyg llyfrau i'r
cyfieithydd a chymeradwyo ei waith. Amhosibl yw torri'r
ddadl ar hyn o bryd a digon i ni yma yw nodi nad oedd yr
apêl at rai o egwyddorion sylfaenol Protestaniaeth, hyd yn
oed, yn ddigon i dawelu'r gwrthwynebiad i Feibl
Cymraeg, a hynny (fe ymddengys) ymhlith y Cymry eu
hunain. Diolch i ddygnwch a doethineb William
Salesbury a'i gynghreiriaid, fodd bynnag, fe gariwyd y
dydd. Diolch i nawdd yr Esgob Richard Davies, yn fwyaf
arbennig, fe gafwyd o leiaf Destament Newydd a Llyfr
Gweddi Gyffredin (yn cynnwys y Salmau) yn Gymraeg
erbyn 1567: fel y crybwyllwyd uchod, Salesbury ei hun a
gyfieithodd y rhan fwyaf o ddigon o'r rhain, ond fe gafodd
help gyda rhai o epistolau'r Testament Newydd gan yr
Esgob Richard Davies a chyda Llyfr y Datguddiad gan Dr.
Thomas Huet. Wedi 1567 fe barhaodd yr Esgob Davies â'r
ymdrech i sicrhau fod y Beibl yn gyfan ar gael yn
Gymraeg, gan ddibynnu ar William Salesbury i ddechrau
ac wedi hynny ar ddyneiddiwr ifanc disglair o Fôn,
perthynas iddo, o'r enw Siôn Dafydd Rhys. Ond methiant
fu'r ymdrech yn y ddau achos, ac fe fu farw Davies ym
1581 a'i freuddwyd ef a Salesbury heb ei lwyr sylweddoli.
Tybed a oedd yn gwybod fod Ficer Llanrhaeadr-ym-
Mochnant eisoes wrth y gwaith a warantai y byddai'r
breuddwyd *yn* cael ei sylweddoli saith mlynedd yn
ddiweddarach? Beth bynnag am hynny, fe gafwyd Beibl
Cymraeg ac felly sicrhau mai'r Gymraeg fyddai iaith
crefydd Cymru am ganrifoedd eto i ddod. Tra parhâi
crefydd yn rym llywodraethol ym mywyd cyfran helaeth
o'r boblogaeth, yr oedd y ffaith mai yn Gymraeg yr addolid
yn gwneud llawer iawn i wrthweithio'r ffaith wrthgyfer-
byniol mai drwy'r Saesneg y llywodraethid y wlad. Hynny
yw, fe negyddodd Deddf 1536 lawer iawn o ddrwgeffeith-

iau Deddfau Uno 1563 a 1543. Erbyn hyn, wrth gwrs, fe
gollodd yr iaith i raddau pell y nodded honno.
Y pwynt olaf y dymunaf ei drafod yw ansawdd cyfieith-
iad William Morgan. Y mae, wrth reswm, ynghlwm wrth
y pwynt blaenorol, gan ei bod yn annichon y byddai
cyfieithiad gwael wedi bod yn lladmerydd mor effeithiol i
fywyd crefyddol y genedl. Ac yn sicr nid cyfieithiad gwael
a gafwyd gan Morgan na chan yr un o'i ragflaenwyr
ychwaith (ac eithrio, efallai, Thomas Huet). Soniwyd
eisoes eu bod i gyd yn ddyneiddwyr, a gellir manylu
ychydig ar y gosodiad hwnnw yma drwy ddweud eu bod
wedi cyfranogi'n llawn o'r chwyldro addysgol a ysgubodd
drwy Ogledd Ewrop yn ystod yr unfed ganrif ar bymtheg,
yn dilyn chwyldro tebyg a oedd eisoes wedi gweddnewid
bywyd meddyliol yr Eidal yn ystod y ddwy ganrif
flaenorol. Sylfaen y chwyldro oedd pwyslais newydd ar
astudio, ac yna ddynwared yn yr ieithoedd brodorol, y
llenyddiaethau clasurol, Lladin a Groeg; a chydag amser
fe ychwanegwyd yr Hebraeg at y rhain, yn drydedd iaith
hynafol. Cyfrwng y chwyldro, neu o leiaf ei brif gyfrwng,
oedd y prifysgolion. Yr oedd pob un o gyfieithwyr y Beibl
i'r Gymraeg wedi disgleirio yn y naill neu'r llall o
brifysgolion Lloegr, Rhydychen neu Gaergrawnt (a bod yn
deg, i Rydychen yr aeth y cwbl ond William Morgan, ond
gall ef achub cam Caergrawnt ar ei ben ei hun!). Yr
oeddynt, mewn gair, yn ysgolheigion rhyngwladol.
Golygai hynny eu bod yn gwybod yn iawn am y gwaith
ysblennydd a wnaethid yn ystod yr unfed ganrif ar
bymtheg, mewn gwledydd Catholig yn ogystal â Phrotes-
tannaidd, ym maes golygu ac argraffu testunau gwreiddiol
y Beibl; a hefyd am y gwaith yr un mor ysblennydd, mewn
gwledydd Protestannaidd yn bennaf, ym maes cyfieithu'r
testunau hynny i'r ieithoedd brodorol. Wrth fynd ati i
gyfieithu i'r Gymraeg manteisient hyd yr eithaf ar y
cynorthwyon amrywiol hyn. Er enghraifft, yr oedd
Salesbury, wrth weithio ar Destament Newydd 1567, yn

dilyn yn bennaf y testun Groeg a gyhoeddwyd gan Robert Estienne ym Mharis ym 1550, fersiwn Saesneg Beibl Genefa (1557) a fersiwn Lladin Thêodore de Bèze a gyhoeddwyd gyntaf fel rhan o Feibl Lladin Estienne (1556). Wrth ddiwygio cyfieithiad Salesbury o'r Salmau a chyfieithu gweddill yr Hen Destament, gallai William Morgan droi at Feibl Amlieithog ysblennydd Antwerp (1572) a'r holl gynorthwyon a oedd ynglŷn ag ef, ac yna at fersiwn Lladin Immanuel Tremellius (1575-9); wrth ddiwygio cyfieithiad y Testament Newydd, ar y llaw arall, ei brif gynhorthwy oedd y testun Groeg, gyda chyfieithiad Lladin gyferbyn, a gyhoeddwyd gan de Bèze ym 1582. Ond gellid enwi cymaint â hanner dwsin o destunau neu fersiynau eraill y mae'n sicr iddo ymgynghori â hwynt o dro i dro. Pwysicach na hynny, hyd yn oed, yw ei fod yn gallu defnyddio'r holl gynorthwyon hyn gyda medr a hyder anghyffredin ac ar brydiau fentro ymadael â'r fersiynau oll a chynnig ei gyfieithiad ef ei hun o'r gwreiddiol. Hynny yw, yr oedd yn ysgolhaig Beiblaidd o'r radd flaenaf, fel y dangosodd ymchwil gorchestol y Parch. Ddr. Isaac Thomas yn eglur.

Yr oedd hefyd yn Gymreigiwr o'r radd flaenaf. Felly Salesbury yntau, ond mennid yn ddifrifol ar olwg cyfieithiadau disglair Salesbury gan ei ymlyniad anfeirniadol wrth ddwy brif egwyddor ddyneiddiol, sef parch at hynafiaeth a'r gred fod amrywiaeth yn bennaf rhinwedd ar arddull. Gan ddilyn yr egwyddor gyntaf, fe frithodd ei gyfieithiadau â geiriau a ffurfiau Cymraeg Canol a hefyd â geiriau a ffurfiau yr oedd wedi peri iddynt edrych mor debyg i'r Lladin—prif iaith hynafiaeth—ag a oedd modd; y mae'n bosibl mai'r un egwyddor a oedd wrth wraidd ei ddefnydd mynych o'r Frawddeg Annormal ('Mair a eisteddawdd yn tuy' yn hytrach nag 'eisteddodd Mair yn y tŷ') ond ni ellir bod yn sicr ynglŷn â hyn. Gan ddilyn yr ail egwyddor fe'i ceir yn newid ei sillafu cyn amled ag a oedd modd; yn tynnu ei eirfa nid yn unig o

Gymraeg Canol ac o'r Lladin ond hefyd o'r tafodieithoedd Cymraeg, o'r Saesneg ac ar brydiau o'r Roeg a'r Hebraeg hyd yn oed; ac yn amrywio'r ffurfiau gramadegol a ddefnyddiai yr un modd. Yn ôl Dr. Thomas, y mae'n defnyddio 'pymtheg ymadrodd gwahanol i drosi'r geiryn Groeg sy'n golygu ''yn y fan'' a chwe chyfieithiad gwahanol o'r ferf sy'n golygu ''edifarhau'', gair nid bychan ei bwys diwinyddol!' (Eto llwyddodd i lynu drwy'r amser wrth egwyddor bwysicach yn ei olwg na'r un o'r ddwy hyn, sef ffyddlondeb i'r gwreiddiol wrth gyfieithu: yn wir dyfnhâi ei ymlyniad wrth yr egwyddor hon fel yr enillai brofiad fel cyfieithydd.) Nid rhyfedd i John Penry a Morus Cyffin, ymhlith eraill, brotestio mor huawdl yn erbyn cyfieithiadau Salesbury! Camp fawr William Morgan yw iddo allu elwa hyd yr eithaf ar ddisgleirdeb Salesbury fel cyfieithydd ac eto fynd ymhell iawn tuag at liniaru ei ryseddau. Y mae'n alltudio'r geiriau a'r ffurfiau Cymraeg Canol, yn ymwrthod bron yn llwyr â'r geiriau a'r ffurfiau Lladinaidd, yn safoni'r sillafu gan gymryd arfer y beirdd yn batrwm, yn derbyn ffurfiannau newydd pan oedd raid (a bod eu hystyr yn amlwg), ond yn gwrthod y benthyciadau tafodieithol ac estron: mewn gair, y mae'n gosod bri ar eglurder yn hytrach nag urddas hynafol ac ar reoleidd-dra yn hytrach nag amrywiaeth. (Eto fe lŷn mor gyndyn â Salesbury wrth y drydedd egwyddor, sef ffyddlondeb i'r gwreiddiol wrth gyfieithu.) Yr un egwyddorion a lywiai ei gyfieithu gwreiddiol ef ei hun yn ogystal. Fe welir ei ysfa tuag at reoleidd-dra yn arbennig o amlwg yn ei arferion gramadegol a chystrawennol: y mae ei ddefnydd o'r Frawddeg Annormal yn fwy cyson nag eiddo Salesbury, hyd yn oed, ac y mae'n glynu'n gaethach wrth y 'rheol' fod berf (yr oedd yn rhaid ei chael mewn brawddeg) i gytuno o ran rhif a pherson â'i goddrych: 'Gwŷr Ninefeh a gyfodant' sydd ganddo ef yn Efengyl Mathew 12-41 ac nid 'Gwyr Niniue a gyfyt' fel sydd gan Salesbury. 'Rheol' Ladin yn hytrach na Chymraeg yw hon, ac eto fe allai Morgan fod wedi apelio at Ramadeg neu Ddwned y beirdd Cymraeg i'w chyfiawnhau yn ogystal ag at y gramadegau Lladin. Yn gyffredinol ceir yr argraff fod Morgan yn parchu'n ddirfawr feistrolaeth ieithyddol y beirdd caeth proffesiynol ac yn fodlon eu dilyn pa bryd bynnag y gallai: y mae'n bosibl fod ei gyfeillgarwch ag Edmwnd Prys, a oedd yn fardd tan gamp ei hun, wedi ei gadarnhau yn yr agwedd hon. Nid rhyfedd i feirdd megis Owain Gwynedd, Siôn Tudur, Ifan Tew a Rhys Cain ymateb mor gynnes i'w gyfieithiad, yn ogystal â dyneiddwyr megis Siôn Dafydd Rhys, Morus Cyffin a Huw Lewis, a gwŷr eglwysig megis Thomas Johns a Gabriel Goodman.

Wedi i Forgan orffen ei waith yr oedd gan y Cymry, mewn print, Air Duw yn eu hiaith eu hunain, ac yr oedd breuddwyd Salesbury un mlynedd a deugain ynghynt wedi ei wireddu. Oherwydd hynny, ac yn enwedig oherwydd ansawdd gwych y cyfieithu, gallai'r Gymraeg bellach honni ei bod mewn egwyddor gyfuwch ei statws ag unrhyw un o'r ieithoedd modern eraill yr oedd y Beibl wedi ei gyfieithu iddynt, er na allai wrth gwrs gystadlu â'r rheini o ran swm y rhyddiaith amryfal a oedd ar gael ynddynt. Eto, oherwydd amrywiaeth ffurfiau llenyddol y Beibl, yr oedd bellach ar gael yn Gymraeg esiamplau gwiw o fathau o lenyddiaeth na welsid mo'u tebyg o'r blaen yn yr iaith: meddylier am farddoniaeth y Salmau a'r Proff-wydi, er enghraifft, neu ymresymu cyfewin yr Apostol Paul. Pwysicach na'r cwbl o safbwynt llenyddol, fodd bynnag, oedd fod y Beibl yn cynnig corff o lenyddiaeth reolaidd a huawdl a fyddai'n batrwm i bob ysgrifennwr Cymraeg a ddilynai: yr oedd orgraff, gramadeg a chystrawen yr iaith lenyddol fodern bellach wedi eu sefydlu i raddau pell, a seiliau wedi eu gosod y gellid adeiladu yn ddiogel arnynt. Gwir fod Morgan mewn rhai pethau yn gaeth i ragdybiau ieithyddol a oedd yn estron i deithi'r iaith, ac er i John Davies a Richard Parry ystwytho rywfaint ar y rhain ym 1620, ni lwyddasant i symud yr estroneiddiwch yn gyfan gwbl. (Eto fe ellid dadlau fod y dieithrwch hwn yn cyfrannu at yr urddas a wedda i'r deunydd a drinnir yn y Beibl, urddas y teimlir ei golli'n ddirfawr mewn llawer o'r fersiynau modern.) Ond fel mân lwch y cloriannau yw hyn oll o'i gymharu â swmp cyfraniad Morgan. Oherwydd yr hyn a wnaeth, ni fyddai'r Gymraeg wedi'r cwbl yn dirywio'n glytwaith o dafod- ieithoedd dirmygedig, ond yn hytrach yn cymryd ei lle fel iaith fodern gyflawn ac urddasol, os cyfyng ei gorwelion. Ac fel yr enillai Protestaniaeth yn ei hamrywiol weddau ei phlwyf yn gynyddol ym mywyd y genedl o ganol yr ail ganrif ar bymtheg ymlaen, yr oedd Beibl William Morgan (wedi ei ddiwygio gan Parry a Davies) ar gael iddi gael adeiladu ei ffydd a'i buchedd a'i gwareiddiad arno. Nid oes ond gobeithio y caiff y Beibl Cymraeg Newydd ddylanwad llesol tebyg yn ystod y pedair canrif nesaf.

DARLLEN PELLACH

Charles Ashton, *Bywyd ac Amserau yr Esgob William Morgan* (Treherbert, 1890).

Ifan ab Owen Edwards, 'William Morgan's quarrel with his parishioners at Llanrhaeadr ym Mochnant', *Bulletin of the Board of Celtic Studies*, III (1925-7).

R. Geraint Gruffydd, 'William Morgan', yn Geraint Bowen gol., *Y Traddodiad Rhyddiaith* (Llandysul, 1970).

J. Gwynfor Jones, 'Bishop William Morgan's dispute with John Wynn of Gwydir in 1603-4', *Journal of the Historical Society of the Church in Wales*, XXII (1977).

G. J. Roberts, *Yr Esgob William Morgan (Dinbych, 1955).*

Isaac Thomas, *Y Testament Newydd Cymraeg 1551-1620* (Caerdydd, 1976); hefyd erthyglau ar yr Hen Destament a gyhoeddwyd yn *Cylchgrawn Llyfrgell Genedlaethol Cymru*, XXI (1979-80) hyd XXIV (1985-6), ac a gesglir ynghyd yn gyfrol i'w chyhoeddi gan y Llyfrgell ym 1988.

Glanmor Williams, 'Bishop William Morgan (1545-1604) and the first Welsh Bible', *Journal of the Merioneth Historical and Record Society*, VII (1976).

Glanmor Williams, 'Crefydd a Llenyddiaeth Gymraeg yn Oes y Diwygiad Protestannaidd', yn Geraint H. Jenkins gol., *Cof Cenedl* (Llandysul, 1986).

Gruffydd Aled Williams, 'William Morgan ac Edmwnd Prys yng Nghaer-grawnt', *Bwletin y Bwrdd Gwybodau Celtaidd*, XXIX (1980-2).

Ym 1988 cyhoeddir gan Wasg Prifysgol Cymru gyfrol o ysgrifau amrywiol ar y Beibl a'i ddylanwad wedi ei golygu gan R. Geraint Gruffydd.

MORGAN LLWYD Y PIWRITAN

M. Wynn Thomas

O Bobl Cymru! Atoch chi y mae fy llais;
O Drigolion Gwynedd a'r Deheubarth, arnoch
chi yr wyf i yn gweiddi.

Morgan Llwyd

Yn ei ragymadrodd (1800) i weithiau'r Piwritan enwog Walter Cradock (1610-59), mae Thomas Charles yn adrodd stori am 'Mr Morgan Howel', rhyw ŵr bonheddig o sir Aberteifi. Roedd ef yn elyn i'r Piwritaniaid; felly, pan ymwelodd Cradock â'r plwyf i bregethu yn yr awyr agored, penderfynodd Morgan Howel, ynghyd â chriw o lanciau penboeth yr ardal, fynychu'r cyfarfod er mwyn achosi anhrefn. Pan ddechreuodd Cradock lefaru, dechreuasant chwarae gêm bêl-droed wrth ei ymyl, gan anelu'r bêl yn fwriadol ato. Ond, meddai Charles, wele Dduw yn amddiffyn ei was. Wrth i Forgan Howel roi cic i'r bêl, dyma fe'n troi ar ei figwrn, ac wedi'r ysigiad methai'n lân â symud. Felly, bu rhaid iddo eistedd yn ei unfan a gwrando ar weddill y bregeth. Cafodd honno ddylanwad ysgytwol arno, a chyn i Cradock orffen yr oedd Morgan Howel wedi ei argyhoeddi'n llwyr mai pechadur ydoedd, ac yn erfyn am faddeuant. Nid ar chwarae bach y bydd Cymro, hyd yn oed heddiw, yn mentro tarfu ar bregeth!

Mae'r stori hon yn un awgrymog o ddau safbwynt. Yn gyntaf, o gofio mai Thomas Charles sy'n ei hadrodd, mae'n arwydd o dwf y syniad o draddodiad anghydffurfiol yng Nghymru. Dyma Thomas Charles, y Methodist, yn arddel ei berthynas ysbrydol â Phiwritaniaid canol yr ail ganrif ar bymtheg, gan gydnabod eu bod yn gyndeidiau iddo yn yr ysbryd. Erbyn diwedd y bedwaredd ganrif ar bymtheg, byddai'r sectau Anghydffurfiol a reolai'r bywyd crefyddol yng Nghymru i gyd o'r un farn ag ef. Byddent hefyd yn gytûn mai pechaduriaid tebyg i Forgan Howel oedd y Cymry bron i gyd, cyn i'r Piwritaniaid a'u disgynyddion fynd ati i achub eneidiau eu cydwladwyr. Ond yn ail, mae'r darlun a gyflwynir i ni gan Thomas Charles, sef darlun o Dduw Piwritanaidd yn gwgu ar hwyl a sbri y werin-bobl, ac yn mynnu rhoi terfyn ar eu chwaraeon ofer, yn cadarnhau'r rhagfarn sydd gan lawer ynghylch y Piwritaniaid. Credir yn gyffredin mai dynion sur, cul, sarrug oeddent, a'u bod yn addoli Duw cyfiawn, digllon, didostur. Defnyddir y term 'Piwritaniaid' yn aml hefyd i ddisgrifio Anghydffurfwyr y ddeunawfed ganrif a'r ganrif ddiwethaf, pan ddylid cyfyngu'r term a'i gadw fel enw ar garfan selog o addolwyr a geid y tu mewn a'r tu allan i Eglwys Loegr yn ystod ail hanner yr unfed ganrif ar bymtheg a thrwy gydol yr ail ganrif ar bymtheg. Mynnent ddiwygio'r gyfundrefn eglwysig a phuro patrwm y gwasanaeth. Credent fod yr Eglwyswyr yn anwybyddu gwirioneddau'r Gair a ddatgelid yng ngeiriau'r Beibl, ac nad oedd eglwys 'frenhinol' Lloegr yn ddim amgen nag un o brif sefydliadau gwladwriaeth fydol, lygredig. O'r cychwyn, felly, roedd agweddau gwleidyddol a chymdeithasol go chwyldroadol yn perthyn i athrawiaeth y Piwritaniaid. Daeth hynny i'r amlwg yn y modd mwyaf dramatig posibl pan esgorodd eu hanniddigrwydd crefyddol a gwleidyddol ar y Rhyfel Cartref ym 1642.

Nid gwŷr a gwragedd yn gaeth i ddysgeidiaeth sych oedd y Piwritaniaid gwreiddiol, go iawn. Herient y byd a'r betws, ac ym marn eu gwrthwynebwyr yr oeddent yn bygwth holl seiliau cymdeithas wâr. Ond os oedd Piwritaniaeth yn fudiad chwyldroadol, yr oedd hefyd, pan ddaeth i Gymru, yn fudiad trwyadl Seisnig. Gan ei fod yn golygu annibyniaeth barn, apeliai'n bennaf at y rhai a oedd am fod yn rhydd i ddewis ac i ddilyn eu llwybrau economaidd, cymdeithasol a chrefyddol hwy eu hunain. Mân foneddigion, marsiandïwyr, gwŷr cefnog y dosbarth canol, ac eraill a oedd yn dringo'r ysgol gymdeithasol oedd llawer o'r rhain. Ym mharthau mwyaf ffyniannus Lloegr ac yn y trefi yr oeddent i'w cael, gan mwyaf, ond yn ystod y degad cyn i'r Rhyfel Cartref ddechrau, croesodd yr awydd hwn am ddiwygiad crefydd Glawdd Offa ac ymledu ar hyd y gororau. Ymwreiddiodd y gredo Biwritanaidd hon yn Wrecsam yn anad unlle, am fod yno

uchelwyr dylanwadol yn y cyffiniau a oedd â chydym-
deimlad â'r diwygwyr, ac am fod yn y dref lewyrchus ei
hun ddosbarth canol hyderus, egnïol a groesawai'r
ddysgeidiaeth ysbrydol, ddisgybledig a grymus a oedd gan
Biwritaniaeth i'w chynnig. Pwy ddaeth i Wrecsam, felly,
ar ôl cael ei erlid o Gaerdydd, ond offeiriad ifanc o'r enw
Walter Cradock. Ni osodai Eglwys Loegr y pryd hwnnw
fawr o bwys ar bregethu'r Gair. Yn wir, dim ond gan nifer
bach iawn o offeiriaid trwyddedig yr oedd yr hawl i
bregethu o gwbl. Ond am fod Cradock yn Biwritan, yr
oedd yn bregethwr cwbl argyhoeddedig, a chan fod ganddo
ddawn yr oedd hefyd yn bregethwr ysbrydoledig.

Nid Mr. Morgan Howel oedd yr unig un o'i wrandawyr,
o bell ffordd, i gael ei siglo i'r gwraidd gan anerchiadau
tanbaid, treiddgar Walter Cradock. Ymhlith y rhai y
cafodd ddylanwad cyffelyb arnynt yr oedd Morgan arall—

13   Ffermdy Cynfal: man geni Morgan Llwyd (1619-1659).

Morgan Llwyd o Wynedd. Yng Nghynfal, ym mro
Ardudwy, sir Feirionnydd, y ganed ac y maged Morgan
Llwyd, ond symudodd i Wrecsam yng nghwmni ei fam
pan oedd yn fachgen. 'Ym Meirionydd gynt y'm
ganwyd/Yn Sir Ddinbych y'm newidiwyd', meddai'n
ddiweddarach. Credai, wrth gwrs, mai gras Duw a oedd
yn gyfrifol am y 'newid' syfrdanol hwnnw yn ei hanes,
ond cydnabyddai yn llawen mai drwy Cradock yr oedd yr
Hollalluog wedi gweithredu. Yn ddiweddarach ceisiodd
gyfleu hanfod y profiad hwnnw droeon yn ei weithiau:

> Oni bydd Crist yn gwneuthur i'th gnawd di
> ddioddef hefyd gydag ef, ac i'th ysbryd gyfodi ynddo
> ef ac yntau ynot tithau, cnawd marwol wyt eto. *Yr*
> *hyn sydd yng Nghrist, mae hwnnw yn greadur*
> *newydd.*
> Nid yw hwnnw oddi fewn yn caru nac yn ofni dim
> ond Duw ei hunan.
> Ac yn y creadur newydd yma yn unig y mae
> hapusrwydd i'w gael.

Achosodd y profiad mawr yma o 'dröedigaeth' bersonol
i Forgan Llwyd a'i debyg gredu fod y 'rhod mawr yn troi'
yn y deyrnas o ben bwygilydd. 'Mae'r dröell yn troi yn
rhyfedd drwy'r holl fyd yn barod, ac hi dry eto yn
gyflymach ac yn rhyfeddach beunydd'. Yn wir, yn ystod y
pedwardegau yr oedd aelodau o bob sect a phlaid
grefyddol, gan gynnwys Eglwys Loegr, yn disgwyl gweld
byd y Cwymp yn gorffen yn fuan iawn, a Christ yn
ymddangos i fod yn frenin y greadigaeth gyfan am gyfnod
o fil o flynyddoedd tangnefeddus. 'Eithr nefoedd newydd
a daear newydd yr ydym ni, yn ôl ei addewid ef, yn eu
disgwyl', meddai Pedr (2 Pedr 3: 6, 7). Ac erbyn canol yr
ail ganrif ar bymtheg credai llawer bod modd amcangyfrif
yn fras pryd y byddai Crist yn dyfod yn ei ogoniant.
Cydnabyddai Morgan Llwyd nad oedd Duw 'yn rhoi
cennad i weled yr awr a'r dydd o dan y chweched sêl. Ond

o ddechreuad y byd hyd y Dilyw yr oedd mil a chwe chant ac un mlynedd ar bymtheg a deugain: felly mi a'th gynghoraf i ddisgwyl canys mae fo yn agos'. Disgwyliai ef, felly, i deyrnasiad Crist gychwyn tua 1656.

Os taw gan Cradock y derbyniodd Morgan Llwyd foddion gras ar ddechrau ei yrfa, credai ef a'i gyd-Biwritaniaid yn ddiweddarach fod Duw yn gweithio drwy'r Rhyfel Cartref i baratoi'r ffordd ar gyfer dyfodiad teyrnas Crist. Ond siom a ddaeth i'w ran i gychwyn. Yn gynnar yn y Rhyfel bu rhaid iddo ef ac eraill ffoi i Fryste am ymgeledd, am fod y rhan fwyaf o bobl Cymru yn elyniaethus tuag at achos y Seneddwyr. Cadarnle i'r brenin oedd Cymru, ac yr oedd y werin-bobl geidwadol yn deyrngar i Eglwys Loegr. Ni allai Morgan Llwyd ond gresynu a galaru:

> Ac och, och, och fod llaweroedd o'r Cymry hefyd, doethion cystal ag annoethion, yn byw yng ngogr oferedd, ac ym mustl chwerwedd, yn gorwedd yn rhwymyn anwiredd yng ngwely Babel, yn pori yng ngweirglodd y cythraul i borthi y cnawd, heb adnabod y Duw anweledig a'u gwnaeth na'r Duw bendigedig a'u prynodd, na'r Duw caredig sy'n gweiddi wrth eu drysau am gael dyfod i mewn iddynt i aros ynddynt.

Nid oedd i Forgan Llwyd offeiriad namyn Iesu Grist ei hun, a chredai ei fod ef yn bresennol ym mywyd pob unigolyn byw, a'i fod yn barod i'w amlygu ei hun dim ond i hwnnw, neu honno, ymwrthod â'i hunanoldeb pechadurus.

Os am ddeall gelyniaeth aelodau Piwritanaidd y Senedd tuag at yr elfen Arminaidd a oedd mor gryf o fewn yr Eglwys, rhaid sylweddoli fod Eglwys Loegr yn sefydliad cymdeithasol, ac yn arf economaidd a gwleidyddol hynod nerthol yn y cyfnod hwnnw. Yn ôl cyfraith gwlad roedd yn rhaid i bawb fynd i'r eglwys ar y Sul, ac roedd yn rhaid iddynt hefyd dalu'r degwm, sef degfed ran o'u cynnyrch neu o'u heiddo. Nid offeiriaid y plwyf bob tro a fyddai'n elwa ar hyn, oherwydd mewn nifer o ardaloedd roedd yr hawl i dderbyn y degwm wedi ei phrynu gan wŷr cefnog a elwid yn 'ffermwyr y degwm'. Ac, wrth gwrs, nid y plwyfolion a gâi ddewis eu hoffeiriad ychwaith. Roedd yr hawl i benodi person y plwyf yn nwylo'r esgobion a'r lleygwyr cyfoethog a reolai'r wlad. Gan taw ychydig, felly, o'r arian a godid drwy dreth y degwm a gyrhaeddai boced yr offeiriad druan, byddai'n rhaid i hwnnw fod yn fugail ar sawl plwyf, er mwyn ennill ei damaid. O ganlyniad, ychydig iawn o waith bugeiliol a wnâi, ac yr oedd yn arfer ddigon cyffredin iddo beidio ag ymweld â'i blwyfi o gwbl o naill ben y flwyddyn i'r llall.

Gwnâi lai fyth o bregethu, a hynny nid yn unig oherwydd mai defod ac nid pregeth oedd uchafbwynt y gwasanaeth, ond hefyd am mai dim ond gan rai offeiriaid dethol, a oedd wedi derbyn addysg a hyfforddiant digonol, yr oedd yr hawl i bregethu o gwbl. Drwy gyfrwng yr esgobion, cadwai'r llywodraeth reolaeth lem ar yr hyn a ddywedid yn y pulpud. 'Pan fo'n gyfnod o heddwch', meddai Siarl I, 'y mae'r bobl yn cael eu llywodraethu gan y pulpud yn hytrach na chan y cleddyf.' Ac, wrth gwrs, gan fod y personiaid yn hollol ddibynnol ar eu noddwyr lleyg, ni feiddient ddweud dim yn groes i'w hewyllys hwy. Heblaw hynny, yr oedd y Beibl yn dal yn llyfr caeëdig i'r werin-bobl, oherwydd gan yr offeiriaid yn unig yr oedd yr hawl i ddehongli ac i esbonio'r Gair. Y pryd hwnnw yr oedd rhaid cael caniatâd y llywodraeth hefyd cyn y gellid cyhoeddi llyfr, ac felly nid oedd modd defnyddio'r wasg ychwaith i leisio barn annibynnol.

O gofio hyn i gyd, nid oes ryfedd fod Morgan Llwyd a'i debyg yn casáu'r offeiriadaeth â chas perffaith. Yn eu golwg hwy, yr oedd yn symbol o gyfundrefn eglwysig bwdr a oedd hefyd yn rhan annatod o gyfundrefn wleidyddol ormesol:

Fe dwylla cŵn deillion, cŵn gwancus, cŵn gweigion,
Ni'ch deffry cŵn mudion (wlad uchaf);
Cynddeiriog gŵn enbyd, cŵn llydlyd segurllyd,
Ffi honyn, cŵn drewllyd gan mwyaf.

Eu pennau sydd feddwon, a'u dannedd yn llymion,
A'u hesgyrn meddalion a'u bryntni.
Pregethu ni allant, cardota ni fynnant,
Hwsmonaeth ni fedrant oddi wrthi.

Nid ymgyrch yn erbyn awdurdod y brenin, yn unig,
oedd y Rhyfel Cartref; yr oedd yn ymdrech ysbrydol
arwrol i ryddhau'r werin-bobl o afael yr hualau meddyliol
a sefydliadol a'u caethiwai. Neu dyna fel yr oedd y
Piwritaniaid yn ei gweld hi. Ac er mwyn sicrhau newid yr
oedd yn rhaid, yn gyntaf, ennill goruchafiaeth filwrol dros
luoedd yr Eglwys a'r brenin. Felly, ar ôl ffoi i Fryste,
ymunodd Morgan Llwyd â byddin y Senedd. Gwasanaeth-
odd fel caplan answyddogol i'r milwyr, gan deithio o
gwmpas Lloegr o'r naill ben i'r llall. Er i gyrch byddinoedd
y Senedd fod yn aflwyddiannus ar ddechrau'r Rhyfel,
daeth llwyddiant ysgubol i'w rhan yn syth ar ôl i'r drefn o
ddewis swyddogion a chadfridogion gael ei lled-
ddemocrateiddio ym 1645. O hynny ymlaen nid oedd dim
na neb a allai wrthsefyll y 'New Model Army', ac wrth i'r
fyddin lwyddo'n gynyddol fe ddaeth ei phrif gadfridog,
Oliver Cromwell, fwyfwy i'r amlwg.

Bu Morgan Llwyd, yntau, am gyfnod yn aelod o Fyddin
y Senedd ar ei newydd wedd, ac os na chyfrannodd ryw
lawer tuag at ei llwyddiant milwrol, mae'n sicr iddo
gyfranogi'n helaeth o'r berw meddyliol a nodweddai
fywyd beunyddiol cwbl arbennig milwyr cyffredin y
fyddin honno. Oherwydd cawsant fwy o ryddid nag a
freuddwydiwyd amdano cyn hynny; rhyddid i arddangos
eu doniau ac i ennill clod a bri a dyrchafiad a fyddai wedi
bod yn amhosibl yn y gymdeithas raddedig a oedd yn bod
cyn y Rhyfel; rhyddid meddwol i drafod syniadau

cymdeithasol, gwleidyddol a chrefyddol, a'r rheini'n aml yn rhai beiddgar, a hyd yn oed yn rhai chwyldroadol; rhyddid hefyd i leisio'u barn yn ddilyffethair ar goedd, mewn pregeth ac mewn anerchiad.

Y canlyniad oedd, wrth gwrs, i ymraniadau di-rif ddatblygu ymhlith y Piwritaniaid wrth i'r barnau luosogi. Serch hynny, y Presbyteriaid a'r Annibynwyr oedd y ddwy garfan fwyaf grymus o hyd o fewn y glymblaid o sectau Piwritanaidd. Dymunai'r Presbyteriaid weld eglwys wladol ddiwygiedig, ddisgybledig, gydag awdurdod yn cael ei ganoli a chyda gweinidogion a henuriaid cydnabyddedig yn dal eu gafael yn dynn yn yr awenau. Annibynnwr oedd Morgan Llwyd, yr un fath ag Oliver Cromwell, ac roedd eu sect hwy am weld cyfundrefn ddatganoledig, sef clymblaid o eglwysi, a phob un ohonynt o dan reolaeth ei chynulleidfa ei hun. O'r herwydd, yr oedd gogwydd cymdeithasol yr Annibynwyr yn wahanol iawn i ogwydd y Presbyteriaid.

Yn y pen draw aeth yn ymrafael chwerw rhwng y ddwy blaid o fewn y Senedd a hefyd o fewn y fyddin—a'r Annibynwyr a orfu. Erbyn hynny yr oedd lluoedd y brenin wedi eu trechu'n llwyr gan y New Model Army, ac fe dorrwyd pen Siarl I ym mis Ionawr 1649. Er bod Morgan Llwyd yn ŵr digon mwyn, ac er ei fod yn dangnefeddwr o ran ei anian, ni allai lai na gorfoleddu wrth weld bod yr 'Anghrist' wedi ei ddifetha: 'unhappy Charles provoked the Lamb/To dust he must withdraw'. Yr oedd yn gwbl argyhoeddedig fod digwyddiadau'r Rhyfel Cartref yn profi nid yn unig fod Duw o blaid y Piwritaniaid, ond ei fod ef am eu defnyddio er hyrwyddo Ail Ddyfodiad Crist a Diwedd y Byd:

Mae'r holl ysgrythurau, a'r taerion weddïau,
    A'r daeargrynfâu yn dangos
Fod cwymp y penaethiaid, a gwae yr offeiriaid,
    A Haf y ffyddloniaid yn agos.

Mae'r blodau yn tyfu, a'r ddaear yn glasu,
A'r adar yn canu yn ddibaid.
Pregethwyr yw'r adar, a phobloedd yw'r ddaear,
A'r blodau yw'r hawddgar ffyddloniaid.

Roedd Morgan Llwyd ei hun yn un o'r 'pregethwyr' hynny. 'Rw'i'n gweiddi ar lasddydd', meddai, 'Dihuned y gwledydd, / Mae gennyf fawr newydd i Gymru.' Unwaith y trechwyd y breningarwyr a frithai Gymru, nid oedd dim wedyn i atal y wlad rhag mynd yn eiddo i'r Piwritaniaid yn gyfan gwbl. Ond cred estron oedd eu crefydd hwy, ym marn trwch y boblogaeth. Dim ond nifer bach iawn o'r 'pregethwyr' newydd a deithiai'r wlad yn ceisio achub eneidiau'r bobl a oedd hyd yn oed yn medru'r Gymraeg. Roedd Cymreigrwydd trwyadl Morgan Llwyd felly yn gaffaeliad o'r pwys mwyaf iddo ef a'i gyd-Biwritaniaid wrth iddynt fynd ati i gyflwyno eu neges.

Ond nid dibynnu ar eu huodledd eneiniedig yn unig a wnaent. Bellach yr oedd holl awdurdod diymwad y fyddin fuddugoliaethus, ynghyd â deddfwriaeth y Senedd, yn gefn iddynt. Gosodwyd y Cadfridog Thomas Harrison yn llywodraethwr dros Gymru gyfan, ac ym 1650 pasiodd y Senedd ddeddf yn ymwneud â Chymru—a Chymru'n unig. Ym marn y Piwritaniaid Saesneg, un o barthau tywyll y wlad oedd Cymru, am ei bod yn glynu wrth yr eglwys offeiriadol. Golygai hynny fod y Cymry, yn nhyb yr efengylwyr, mewn perygl ysbrydol enbyd; at hynny, yr oeddent hefyd yn fygythiad gwleidyddol parhaus. Lladdwyd y ddau aderyn hyn ag un garreg pan basiwyd deddf a roddai awdurdod i weinidogion dethol i gael gwared ar unrhyw offeiriaid yng Nghymru nad oeddent yn gwbl gymeradwy ym marn y Piwritaniaid. Cytunai Morgan Llwyd fod yn rhaid cymryd y cam hwn:

Dysgawdwyr o waith dynion oeddynt ac nid o waith *ysbryd Duw*, am hynny fe drowyd llawer (fel

14 Cyrnol Thomas Harrison, pennaeth y comisiynwyr a benodwyd dan amodau Deddf Taenu'r Efengyl yng Nghymru (1650-3).

dylluanod) allan o'u swyddau, ac fe droir eto ragor heibio.

Nid oedd y gair drwyddynt nac yn forthwyl i dorri'r garreg, nac yn dân i losgi'r cnawd, nac yn wenith i borthi'r gydwybod, ond megis us a breuddwydion, sef pregethau ysgafn gweigion. Am hynny yr wyt ti (O Gymru) hyd heddiw heb dy iacháu, am hefyd iti ddibrisio yr ychydig oleuni oedd yn ymddangos mewn rhai, a chau dy lygaid rhag gweled a chydnabod y boreddydd.

Ar ôl troi'r offeiriaid annerbyniol hyn allan, yr oedd yn rhaid gosod rhai mwy ymroddedig a duwiol yn eu lle, ac fe benodwyd Morgan Llwyd i fod yn un o'r rhai a gâi ddewis y gweinidogion newydd hyn.

Rhwng 1650 a 1653, felly, bu Llwyd yn hynod brysur wrth ei waith yn pregethu ledled Cymru, ac yn chwilio am weinidogion. Ond yna, ym 1653, fe ddiddymwyd y ddeddf a roes iddo ei awdurdod fel Cymeradwywr. Y rheswm am hynny, mae'n debyg, oedd ei bod hi erbyn hynny'n edifar gan y Senedd fod cymaint o rym cyfreithlon wedi ei osod, yng Nghymru, yn nwylo criw bach o Biwritaniaid a ymddangosai, o leiaf i aelodau Tŷ'r Cyffredin, yn radicaliaid penboeth. Ond roedd tueddiadau ceidwadol yr aelodau seneddol mor amlwg yn y weithred hon nes peri i Gromwell gynddeiriogi yn eu herbyn, a gollwng y Senedd Hir (fel y'i gelwid) ymaith ym mis Ebrill 1653. Yna gwahoddwyd yr eglwysi Annibynnol i enwebu aelodau'r Senedd newydd, Senedd a alwyd o ganlyniad i hynny yn 'Senedd y Saint', gan mai 'y Saint' oedd yr enw a roddid (fel yn y Testament Newydd) ar y rhai a oedd wedi cael trōedigaeth.

Gan fod Morgan Llwyd ei hun yn un o'r 'saint', yr oedd ef, wrth reswm, uwchben ei ddigon. Dyma benllanw ei obeithion. Teimlai'n ffyddiog fod dyfodiad Crist yn agos iawn, a bod Senedd y Saint am garthu'r byd a'r betws yn lân ar ei gyfer ef. O dan bwysau'r teimladau eirias hyn, credai fod arno ddyletswydd ysbrydol i genhadu ar frys ymhlith ei gyd-Gymry. Ond nid ar lafar yn unig y byddai'n efengylu mwyach. O hynny ymlaen yr oedd hefyd am efengylu ar bapur, am ei fod yn argyhoeddedig fod Dydd y Farn yn prysur agosáu: 'Mae einioes ac amser pob dyn yn rhedeg fel gwennol gwehydd, a'r byd mawr tragwyddol yn nesáu at bawb, ac atat tithau sydd yn darllen neu yn gwrando hyn. Am hynny mae hi yn llawn amser i ti i ddeffro o'th gwsg, ac i chwilio am y llwybr cyfyng, ac i adnabod y Gwirionedd, ac i'w ddilyn yn ofalus'.

Yn ystod 1653, y flwyddyn fawr yn ei hanes, fe gynhyrchodd Morgan Llwyd dri o'r llyfrau defosiynol mwyaf gwreiddiol a mwyaf gwefreiddiol yn holl hanes llên Cymru: *Llythyr i'r Cymry Cariadus*, *Gwaedd yng Nghymru yn Wyneb pob Cydwybod*, a *Llyfr y Tri Aderyn*. Y doniau athrylithgar a feddai fel efengylwr ac fel llenor—dyna a ddaw i'r amlwg yn y llyfrau hyn, wrth gwrs. Ond mae holl gynnwrf y cyfnod rhyfedd ac ofnadwy hwn i'w deimlo o hyd yng nghyffro'r rhyddiaith:

> *O Bobl Cymru!* Atoch chi y mae fy llais; *O Drigolion Gwynedd a'r Deheubarth*, arnoch chi yr wyf i yn gweiddi. Mae'r wawr wedi torri, a'r haul yn codi arnoch. Mae'r adar yn canu: deffro (*O Gymro* deffro; ac oni chredi eiriau, cred weithredoedd. Edrych o'th amgylch a gwêl—Wele, mae'r byd a'i bilerau yn siglo. Mae'r ddaear mewn terfysg, mae taranau a mellt ym meddyliau'r bobloedd. Wele, mae calonnau llawer yn crynu (er nad addefant) wrth edrych am y pethau sydd ar ddyfod.

Cofier fod 'gweithredoedd' milwrol y Piwritaniaid buddugoliaethus yn ystod y Rhyfel Cartref yn gefn i'r traethu awdurdodol a geir yn y 'geiriau' hyn. Er bod tinc

(1) Nid mewn papur ag inge y mae bywyd yr enaid, nag mewn ofmeirnau a geiriau, Ond yn yspryd y Duw byw, (yr hwn ni ymroeiddyn dyn, ar neirth golau oddifewn) yr hwn Kofyd fydd yn gweiddi yn greŵch yngwaelod y moddwl. Tra fo swn y cnawd Kob i ddistewi, anhawdd i rai ddwedyd ag i eraill glywod Kawer mewn ychydig eiriau, Ond Kawdd ni dwedyd a chlywod Kawer i ychydig ddefnydd, fol y Pharisaid Kob andurdod Duw ynddynt. Mae amser i daflu cerrig ag amser ing casglu a Kyn Kofyd fydd wagedd a gorthrymder ybryd.

Ond i ba beth y cyffelybir y Ginhedlaeth hon? os dwedir y gwir fo gaiff i watwar. os ysgrifennir ef fo gaiff i wyro; os gweithredir ef ni chanfyddir chwaith mono. Ag or Kyny plant y dydd a garant y Goleuni ag ni rusant Kry brofi pob peth, a glynunrth yr Kyn fydd dda. Ag or amled crugloisiau r cnawd, a Kesymau Hunan mae rhai a ddwyn lais y Bugail or tu fewn.

O Bobl cymru.

Attochi y mae fy Klais, O Krigolion Gwynedd ar Dehenbarth, Arnochi yr wyfi yn gweiddi. Mae r wawr wedi torri, ar Kaul yn codi arnoch, mae r adar yn canu. Deffro (o Gymro Deffro. Ag oni chredi eiriau trod weithredoedd Edrych oth amgylch a gwêl. wele, mae r byd ai biloedd yn figlo. Mae r ddayar mewn trefyst, Mae taranau a mellt ymmeddyliau r bobloedd. Mae calonnau Kawer yn crynnu (er nad addofant) wrth edrych am y pethau sydd ar ddyfod. Mae dydd mawr yr Arglwydd yn chwilio ag yn profi pob moddwl diegol.

15 Y dudalen gyntaf, yn llawysgrifen Morgan Llwyd ei hun, o *Gwaedd Ynghymru Yn Wyneb Pob Cydwybod* (1653).

ymbilgar yn y cymal neu ddau cyntaf, mae'r cywair yn
newid wrth i'r darn fynd yn ei flaen, ac erbyn y diwedd
mae gorfoledd a bygythiad ill dau'n ymchwyddo ar yr un
pryd yn y gystrawen. Mae Morgan Llwyd yn sôn am yr
anhrefn gymdeithasol a'r chwyldro gwleidyddol a brofid
yn y deyrnas, ac mae'n maentumio mai mynegiant o
gythrwfl mewnol, ysbrydol y bobl yw'r holl derfysg hwn.
Defnyddir cystrawennau sy'n adleisio ei gilydd er mwyn
pwysleisio'r berthynas agos rhwng yr hyn sy'n digwydd
yn y byd mawr cyhoeddus a'r hyn sy'n digwydd yng
nghalon yr unigolyn: 'Wele, mae'r byd a'i bilerau yn siglo
. . . Wele, mae calonnau llawer yn crynu'. Arwyddion
Diwedd y Byd sydd yma, ac awgrymir mai drych o gyflwr
ysbrydol brawychus y pechadur, felly, oedd yr holl derfysg
a welid drwy'r gwledydd. Prif nodwedd arddull Morgan
Llwyd, efallai, yw'r afiaith, yr ymgolli, y taerineb a geir
yn y darn hwn, gydag ystwythder yr arddull yn cyfleu
didwylledd ac uniongyrchedd.

Ochr yn ochr â'r brwydro milwrol a geid yn ystod y
Rhyfel Cartref, yr oedd brwydr arall hefyd yn cael ei
hymladd, sef y frwydr rhwng y naill ochr a'r llall am
oruchafiaeth dros feddyliau'r bobl. Fe gyhuddai'r
breningarwyr y Piwritaniaid o afael yn y cyfundrefnau
eglwysig a chymdeithasol a ordeiniwyd gan Dduw, a'u
troi wyneb i waered. Ac, wrth gwrs, fe geisiai'r Piwri-
taniaid hwythau ddarbwyllo pawb mai lluoedd y Fall oedd
milwyr y brenin. Gwyddai Morgan Llwyd yn dda fod
Cymru wedi bod yn gefnogol i'r brenin er dyddiau'r
Tuduriaid, a'i bod yn ffyddlon i Eglwys Loegr. Deallai
hefyd mai mynegiant o'r agwedd meddwl drwyadl geid-
wadol a nodweddai'r diwylliant Cymreig hynafol oedd y
teyrngarwch hwnnw. Cymdeithas a barchai ei thraddod-
iad oedd y gymdeithas raddedig y maged ef ei hun ynddi
yng Ngwynedd cyn iddo symud i Wrecsam. A chan ei fod
yn ymwybodol pa mor elyniaethus oedd y Cymry tuag at
y weledigaeth grefyddol estron a oedd ganddo ef i'w

chynnig iddynt, aeth ati i gymhwyso ei neges yn arbennig ar eu cyfer hwy: '*O Bobl Cymru!* Atoch chi y mae fy llais'. Aeth ati mewn dwy ffordd yn bennaf. Yn gyntaf, fe geisiodd chwalu'r ymdeimlad greddfol a oedd gan y Cymro ei fod yn rhan annatod o wead cymdeithas ddigyfnewid. Ei wneud yn ymwybodol mai enaid unigol, unigryw ydoedd a fynnai Morgan Llwyd, ei ynysu er mwyn ei osod wyneb yn wyneb â'i 'gydwybod' a'i Dduw. 'Pwy bynnag wyt, mae cloch yn canu o'r tu fewn i ti. Oni wrandewi ar y llais sydd ynot dy hunan, pa fodd y gwrandewi di ar gynghorion oddi allan?' Drwy gyfrwng ei ryddiaith aeth Morgan Llwyd ati i greu ymwybyddiaeth newydd ymhlith y Cymry, ymwybyddiaeth o'r 'byd mawr helaeth' a oedd ar gael oddi mewn i bob person yn ddiwahân, gwreng a bonedd fel ei gilydd. Anogodd hwy i droi eu cefnau ar ddefodau'r eglwys, ar ddysgeidiaeth yr offeiriaid, ac ar orchmynion y llywodraethwyr a'r meistri tir. 'Nac ymofyn am opiniwnau lawer, ond edrych ar dy fod di yn gwybod ac yn gwneuthur ewyllys y Meistr Hollalluog, ac yn dy wadu dy hunan i ddilyn yr Arglwydd . . . Edrych am Dduw yn dy galon, canys nis gwêl neb ef ond a'i gwelo ynddo ei hunan'.

Yn ail, fe geisiodd Morgan Llwyd ddarbwyllo'i gydwladwyr mai'r Piwritaniaid yng Nghymru oedd gwir ddisgynyddion y Cristnogion pur cyntaf. Amddiffynwyr Eglwys Loegr, yn yr unfed ganrif ar bymtheg, a fanteisiodd gyntaf ar y chwedl mai Joseff o Arimathea ei hun a ddaeth â'r Efengyl ddilychwin i Brydain, a hynny yn fuan iawn wedi'r Croeshoeliad. Ganrif yn ddiweddarach, trodd Morgan Llwyd yntau at yr un chwedl er mwyn denu ei gyd-Gymry oddi wrth eu hymlyniad wrth yr Eglwys Wladol. Yn ôl ei fersiwn newydd, Piwritanaidd ef o hanes y genedl, yr oedd y Cymry wedi eu dewis gan Dduw i fod yn llwyth dethol, ond fe'u twyllwyd ac fe'u llygrwyd, gan Eglwys Rufain yn gyntaf, ac wedyn gan Eglwys Loegr. Nid ffydd newydd anghynefin, ddi-dras a oedd gan y Piwri-

taniaid i'w chynnig i'r Cymry. I'r gwrthwyneb yn llwyr:
dyma hen ffydd wreiddiol y Cymry yn dychwelyd ar ei
newydd wedd, arwydd sicr fod Diwedd y Byd a Dydd y
Farn yn agos. Felly, wrth annog ei gyd-wladwyr i gefnu ar
grefydd eu hynafiaid, gallai Morgan Llwyd wneud hynny
yn enw ffydd newydd a oedd hefyd yn hŷn o lawer na'r
Diwygiad Protestannaidd, ac yn hŷn hyd yn oed nag
Eglwys Rufain. Yr Efengyl yr oedd ef yn ei phregethu oedd
gwir ffydd yr *hen* hynafiaid:

> O chwi, hil ac epil yr hen Frutaniaid, gwrandewch
> ar hanes eich hynafiaid, a chofiwch pa fodd y bu, fel
> y dealloch pa fodd y mae, i gael gwybod pa fodd y
> bydd, fel y galloch baratoi.
> Wedi darfod i'r *Arglwydd Iesu* ddioddef ac atgyfodi
> drosom, bore a buan y danfonodd ei ysbryd ef y
> newydd da yma i fysg y *Brutaniaid*, a llawer
> ohonynt a'i credodd, ac a fuont feirw iddynt eu
> hunain a byw i Dduw yn ei wasanaeth ysbrydol . . .
> Ac er hynny hyd yn ddiweddar, y tywyllwch a
> reolodd, a'r *Offeren Ladin* a'n twyllodd, a'r llyfr
> gwasanaeth a'n bodlonodd, a'r gobaith o anwyb-
> odaeth a'n suodd i gysgu: gyda hynny y degymau
> a'r trethi a'n llwythodd, a'r rhyfeloedd a'r trwst a'n
> dotiodd. Yr offeiriaid mudion hefyd, a'r pregeth-
> wyr chwyddedig a'n hanrheithiodd. Nid oedd i'w
> gael ŵr i Dduw ymysg pedwar cant. Y dall a
> dywysodd y dall, a llawer a aethant i'r ffos.

Mewn darn fel hwn, dengys Morgan Llwyd ei fod yn
seicolegydd cymdeithasol craff dros ben. Deallai i'r dim
yr awydd a oedd wedi ei fagu yn y Cymry gan eu
cymdeithas geidwadol, sef awydd i barchu eu treftadaeth
ac i ymfalchïo yn eu tras. Ac er ei fod ar y naill law am gael
gwared ar y balchder pechadurus, trahaus, hwnnw, fe
wyddai ar y llaw arall sut i'w ddefnyddio o bryd i'w gilydd
at ei ddibenion cenhadol ef ei hun.

Hwyrach mai yn *Llyfr y Tri Aderyn* y mae dawn Morgan Llwyd fel propagandydd, o blaid y Piwritaniaid ac yn erbyn Eglwys Loegr, i'w gweld ar ei gorau. Tri aderyn yn ymddiddan a geir yn y *Llyfr*, ac er mai pynciau diwinyddol yw'r rhai pennaf dan sylw, mae'r drafodaeth yn cynnwys sylwadau eraill eang iawn eu cwmpas. Y Golomen sy'n cynrychioli'r 'saint' wrth iddi ymryson â Chigfran yr Eglwys wladol, tra bo'r Eryr yn arwyddo'r llywodraethwr sydd wedi ei osod gan Dduw, fel yr oedd Cromwell wedi ei osod ganddo, yn nhyb Llwyd, er mwyn 'llonyddu'r Gigfran a chadw heddwch ymysg Adar'.

Drwy ddefnyddio'r Gigfran i ddynodi offeiriad yr Eglwys yn eu gwisgoedd duon, mae Morgan Llwyd yn gallu awgrymu eu bod yn pesgi ar draul eu plwyfolion, fel y mae'r Gigfran hithau'n 'bwyta cig y meirwon'. Llais cras, creulon, sydd gan y Gigfran wancus, ac meddai, 'pa opiniwn bynnag a fo gan yr uchelwyr, mi fedraf ei lyncu, am y caffwyf lonyddwch yn fy nyth'. Aderyn bydol ydyw, a'i hymffrost yw 'mai gwych yw bod yn gyfrwys pa le bynnag y bwyf'. Mae'n credu'n gryf mewn cyfraith a threfn, gan honni fod y mân adar gwrthryfelgar (sef y sectau Piwritanaidd) am droi cymdeithas wyneb i waered. Yn ei thyb hi nid oes barch bellach at draddodiadau hynafol, nac at benaethiaid call a dysgedig. Yn wir, 'mae'r genhedlaeth ragrithiol yma yn barnu eu hynafiaid, eu bod 'nhwy yn nhân uffern'. Achos y drwg, ym marn y Gigfran, yw fod y Piwritaniaid terfysglyd wedi torri pen y brenin. 'Ac mi welaf', meddai, gan fynd ymlaen i ddefnyddio delwedd gyfarwydd a oedd yn rhan allweddol o feddylfryd ceidwadol y cyfnod hwnnw, 'fod teyrnas heb reolwyr (fel corff heb ben) a phawb yn gwneuthur a fynno ef ei hunan.'

Nid oes angen i'r Golomen amyneddgar, gariadus, fynd i'r afael o ddifrif â'r cwynion hyn. Mae Morgan Llwyd wedi sicrhau fod y Gigfran yn gosod y dadleuon o blaid cyfundrefn Eglwys Loegr gerbron y darllenydd yn y modd mwyaf haerllug, trahaus a ffiaidd posibl. Gwrthymateb

Arwydd i *annerch* y *cymru* yn y flwyddyn
mil a chwechant a thair ar ddêc
a deugain, *cyn dyfod, 666.*

Eryr. Oba le 'r wyti (y *Gigfran* ddû) yn
ehedeg?

Cigfran. O dramwy 'r ddayar ac
o amgylchu 'r gweirgloddiau i yn-
nill fy mywyd.

Eryr. Onid tydi yw 'r aderyn a ddanfonodd
Noah allan o'i long na ddaeth yn ôl fyth atto dra-
chefn?

Cigfran. Mi fy yn wîr yw 'r aderyn hwnnw, ac
mae arnaf dy ofn di brenin yr Adar.

Eryr. Pam na ddoit ti yn ôl at yr hwn a'ch
ddanfonodd?

Cigfran. Am fod yn well gennif fwytta cyrph
y meirwon na bod dan law Noah at feibion.

Eryr. Di wyddoft (ô *Gigfran.*) i'r golomen ddy-
chwelyd yn ôl, ai deilien wyrdd yn ei phîg.

Cigfran. Beth er hynny? nid yw hi ond aderyn
gwan ymyfy Chedaid y ffurfafen, Rwi fy hun yn
gryfach, ac yn gyfrwyfach o lawer.

Eryr. Ond yr wyti yn bwytta cîg y meirwon,
ac yn ymborth ar y budreddi annaturiol.

Cigfran. Felly yr wyt tithau (O Eryr) wei-
thiau, er dy fod yn falch, ac meais yn trenin.

Eryr. Gwîr yw hynny : Ond galwn am y golo-
men i wrando beth a ddywed hi am dani ei hun, ac
am danem ninnau.

Cigfran. Ni ddaw hi i'n cwmni ni rhag ofn.

A 2

yn ffyrnig a wnawn, felly, gan ddisgwyl yn eiddgar am genadwri'r Golomen addfwyn. Prawf yw hynny, wrth gwrs, o allu Morgan Llwyd fel propagandydd dros achos y Piwritaniaid, oherwydd yr oedd gan y Cymry a oedd yn ffyddlon i'r Eglwys ddigon, mewn gwirionedd, i gwyno yn ei gylch erbyn 1653. Wedi'r cyfan, er mai traethu am gyflwr *ysbrydol* y Cymry yn unig y mae'r Golomen, y ffaith blaen amdani yw mai byddinoedd nerthol y Senedd a roes i'r Piwritaniaid eu hawdurdod dros y bobl. Ac oni bai iddynt ddefnyddio grym milwrol yn y lle cyntaf, mae'n bur annhebyg y byddai'r Piwritaniaid wedi cael rhyw lawer o wrandawiad, heb sôn am gael derbyniad yng Nghymru. Ym marn yr Eglwyswyr, yr elfen dreisgar hon yng nghyfansoddiad Piwritaniaeth oedd i'w gweld ar y naill law yng ngweithgarwch annioddefgar y Profwyr ac, ar y llaw arall, yn y ddysgeidiaeth eithafol a rannai'r ddynoliaeth gyfan yn ddefaid cadwedig ac yn eifr colledig.

Yn wir, fe ymddangosai erbyn 1653 fod y Piwritaniaid yn bobl mor gynhennus fel eu bod yn ymrannu'n lliaws o garfanau ffraegar. Bu'n gweryl go chwerw rhwng y Presbyteriaid a'r Annibynwyr fyth er cychwyn y Rhyfel Cartref, ond o ganlyniad, i raddau, i fwrlwm y dadleuon diwinyddol a gawsid yn y New Model Army, roedd llawer o fudiadau crefyddol newydd wedi ymddangos yn ystod blynyddoedd olaf y Rhyfel. 'Mae llyfrau fel ffynhonnau, a dysgawdwyr fel goleuadau lawer yr awron ymysg rhai dynion', meddai Morgan Llwyd ym mrawddeg agoriadol ei lyfr cyntaf, *Llythyr i'r Cymry Cariadus.* Mynega ei bryder ynghylch anarchiaeth y sefyllfa ddryslyd hon: 'Oferedd yw printio llawer o lyfrau; blinder yw cynnwys llawer o feddyliau; peryglus yw dwedyd llawer o eiriau; anghysurus yw croesawu llawer o ysbrydoedd'. Nid creu propaganda o blaid Piwritaniaeth yn gyffredinol ac yn erbyn Eglwys Loegr a wnâi Morgan Llwyd. Ceisiai hefyd wahaniaethu rhwng y gwir a'r gau ymhlith y credoau aneirif yr oedd Piwritaniaeth bellach wedi esgor arnynt.

Hynny yw, ceisiai argyhoeddi'r darllenydd mai ganddo ef, ac eraill o'r un farn ag ef, yr oedd craidd y gwir Efengyl, ac nid gan y gweddill. Ond, ar ôl dweud hynny, teg ychwanegu hefyd fod Llwyd yn ŵr cymodlon iawn, a'i fod yn awyddus i gydnabod fod gan aelodau nifer o sectau eraill yn ogystal grap ar wirioneddau'r Gair.

Perthynai Llwyd ei hun i asgell gymharol radical plaid yr Annibynwyr ac, fel yr awgrymwyd eisoes, 1653 oedd eu blwyddyn fawr hwy. Roedd Cromwell wedi cael hen ddigon ar yr anghytuno rhwng y sectau, ac yn wir rhwng pleidiau o fewn y prif sectau yn ogystal, a nodweddai sesiynau'r Senedd Hir. Credai y byddai aelodau'r Senedd newydd yn gallu cydweithio'n llawer gwell â'i gilydd, gan fod y mwyafrif ohonynt wedi eu dewis naill ai gan y fyddin neu gan y cynulleidfaoedd Annibynnol. Ond buan iawn y siomwyd Cromwell gan Senedd y Saint. Fe'i parlyswyd hi oherwydd nad oedd yr aelodau'n gallu cytuno ynglŷn â sut i drafod pynciau llosg megis y degwm a'r gyfraith. Collodd Cromwell ei amynedd yn lân, ac yn ei ddicter penderfynodd gymryd yr awenau yn gyfan gwbl i'w ddwylo ei hun o hynny ymlaen. Gollyngodd Senedd y Saint heibio adeg y Nadolig 1653, a dyna ddiwedd ar obeithion ecstatig Morgan Llwyd a'i gyfeillion. Mewn byr amser yr oedd Cromwell wedi cyhoeddi mai ef bellach oedd Arglwydd-amddiffynnydd y wlad. Siomwyd y saint i gyd yn ddirfawr gan y datganiad hwn, ond cymysg fu eu hymateb gwleid-yddol. Credai rhai mai gwell fyddai iddynt gefnogi Cromwell, naill ai am eu bod o'r farn mai hynny a oedd orau o safbwynt gwleidyddiaeth ymarferol, neu am eu bod yn argyhoeddedig fod yn rhaid iddynt ufuddhau i ba lywodraethwr bynnag y dymunai Duw ei osod arnynt. Ond roedd eraill yr un mor argyhoeddedig fod dyrchafiad Cromwell yn hollol groes i ewyllys Duw, a bod dylet-swydd arnynt felly i'w ddymchwelyd, gan ddefnyddio trais i wneud hynny pe byddai rhaid. Roedd nifer o'r saint yng Nghymru, gan gynnwys Vavasor Powell a Thomas

17　Portread o Oliver Cromwell a luniwyd gan Peter Lely ym 1653.

18 'Nid Senedd mohonoch. Rhoddaf derfyn ar eich eisteddiad'. Oliver Cromwell yn diddymu Senedd yr Ychydig Weddill (Rump) ar 20 Ebrill 1653.

Harrison, yn aelodau amlwg iawn o'r garfan filwriaethus, wrthryfelgar hon. Am ychydig amser ymddangosai fod gan Forgan Llwyd hefyd gydymdeimlad â hwy, oherwydd yr oedd ei ddisgwyliadau yntau wedi eu dryllio gan Cromwell. Eithr calliodd yn fuan ac ymbellhaodd oddi wrthynt.

Y gwir sylfaenol amdani oedd fod Morgan Llwyd â'i olygon erioed ar achosi chwyldro ysbrydol yn eneidiau pobl, yn hytrach nag ar achosi chwyldro gwleidyddol. Y profiad o dröedigaeth oedd echel ei fywyd Cristnogol ef ei hun, a cheisiodd fynegi eigion y profiad hwnnw yn ei ryddiaith, er mwyn cyffwrdd â chalonnau eraill a'u cyffroi nes peri iddynt hwythau ymdeimlo i'r byw â'r un wefr

ysbrydol. Ar yr athrawiaeth a gyflwynir yn epistolau Paul
y seiliai'r Piwritaniaid eu cred, gan mwyaf, ac nid oedd
Morgan Llwyd yn eithriad. Ond yn hytrach na chael ei
ddenu, fel y denwyd llawer o Biwritaniaid, gan gyfundrefn
ddeallusol wedi ei seilio ar ddysgeidiaeth Paul, tueddai ef
i ymateb i naws led-gyfriniol yr iaith gyfoethog, hynod
awgrymog, a ddefnyddir yn yr epistolau. Mae rhyddiaith
Morgan Llwyd yn gyforiog o ddelweddau ac ymadroddion
wedi eu codi o lythyrau Paul ac, wrth gwrs, o rannau eraill
o'r Beibl. Ond derbyniodd ysbrydoliaeth o gyfeiriad arall
hefyd. Roedd gweithiau cyfriniol rhyfedd yr Almaenwr
Jacob Boehme yn boblogaidd iawn ymhlith y Piwritaniaid
tua chanol yr ail ganrif ar bymtheg, a chafodd Morgan
Llwyd ei gyfareddu gan ddelweddiadau Boehme o brif
ddirgelion y ffydd Gristnogol.

Ffrwyth y myfyrio dwys hwn uwchben gwirioneddau'r
Beibl a gweithiau Boehme oedd cred waelodol Llwyd yn y
pen draw, a'r ffydd fod Duw yng Nghrist yn bresennol
oddi mewn i bob person, ond bod yr hen hunan pechad-
urus yn ei rwystro rhag cyflawni'r wyrth o greu ynddo
'Hunan newydd, yr hwn yw Crist ei hunan, yn dy galon
gnawdol di'. Prif elyn Duw, ym marn Morgan Llwyd,
oedd hunan-falchder dyn: 'Er cynted y bo marw dy
ewyllys di, fe dyf ewyllys Duw allan drwyddo; ond tra fo
ewyllys dyn yn ymddangos, mae ewyllys Duw yn
ymguddio ynddo'. Ond os oedd Llwyd yn ymwybodol
iawn o'r afael sicr a oedd gan bechod ar fodolaeth y dyn
naturiol, cnawdol, yr oedd hefyd yn argyhoeddedig taw
Duw ei hun oedd piau bywyn bod y dyn ysbrydol:

> Canys mae'r dyn newydd yn un â Duw, a'r dyn
> hwnnw yn unig a fydd cadwedig. Am hynny na
> orffwys (drwy ffydd gnawdol) yn hyn, fod Crist
> wedi marw drosto ti, nac yn hyn chwaith, fod Crist
> yn dechrau codi ynot ti, ac arwyddion gras Duw yn
> ymddangos. Ond deall ffynnon y cwbl, yr hwn yw'r

Tad ynot ti, canys mae dy fywyd di wedi ei guddio yn Nuw ei hun gyda Christ, fel y mae bywyd y pren yn guddiedig yn ei wreiddyn dros amser gaeaf. Dyma wreiddyn gwybodaeth, a swm yr Efengyl dragwyddol. Dos i mewn i'r stafell ddirgel, yr hwn yw *goleuni Duw ynot ti*.

Nid oedd pob Piwritan o'r un farn â Llwyd yn hyn o beth. Yn wir, teimlai llawer o'i gyfoeswyr ei fod yn anwybyddu'r bwlch enfawr rhwng Duw a dyn, bwlch na ellid byth mo'i gau, a'i fod felly mewn perygl o ddwyfoli dyn a'i osod gyfuwch â'r Hollalluog ei hun. Ond gallai Morgan Llwyd yntau yn ei dro brofi mai ar adnodau o'r Testament Newydd yr oedd wedi seilio ei ddysgeidiaeth. Mae'r darn uchod o *Gwaedd yng Nghymru*, er enghraifft, wedi ei weu o gwmpas yr adnodau canlynol o Epistol Paul at y Colosiaid (3:3-5, 9, 10): 'Canys meirw ydych, a'ch bywyd a guddiwyd gyda Christ yn Nuw. Pan ymddangoso Crist ein bywyd ni, yna hefyd yr ymddangoswch chwithau gydag ef mewn gogoniant. Marwhewch gan hynny eich aelodau, y rhai sydd ar y ddaear . . . gan ddarfod i chwi ddiosg yr hen ddyn ynghyd â'i weithredoedd, a gwisgo y newydd, yr hwn a adnewyddir mewn gwybodaeth yn ôl delw yr hwn a'i creodd ef'.

Mae'n werth sylwi'n ofalus ar yr hyn y mae Paul yn ei ddatgelu, a hefyd ar yr hyn sydd gan Morgan Llwyd i'w ddweud yn sgîl athrawiaeth yr Apostol. Oherwydd bu llawer o gamddeall ar hyn, o gyfnod Llwyd hyd ein cyfnod ni. Sylwer nad ydynt yn honni y gall dyn fwynhau undeb llawn â'r Duwdod yn y byd sydd ohoni. Ni ddatguddir, ac felly ni ellir amgyffred, y cwlwm cyfrin sy'n cydio'r gwir Gristion a Duw mewn undod rhyfedd, tan i 'amser gaeaf', sef byd y Cwymp, fyned heibio. Yn y cyfamser, ni all y sant, neu'r 'dyn newydd', ond sefyll yn ufudd ac yn ddisgwylgar ar drothwy'r profiad aruthrol hwnnw, gan aros yn 'yr ystafell ddirgel, yr hon yw goleuni Duw ynot ti'. Ond wedi dweud hynny, rhaid sylweddoli hefyd fod Paul a Morgan Llwyd ill dau o'r farn fod 'amser gaeaf' yn debyg iawn o ddod i ben yn ystod eu bywyd hwy, bod y gwanwyn a'r haf mawr ar ddyfod, ac felly bod enaid y crediniwr yn synhwyro ei fod ar fin cael ei 'ddwyn i mewn i undeb a chymundeb â'r Tad, yn yr ysbryd tragwyddol'.

Yn y bôn, diwinyddiaeth y mil blynyddoedd oedd diwinyddiaeth Llwyd, ond ar ôl iddo gael ei siomi mor ddirfawr yn Senedd y Saint rhoes y gorau i geisio darogan pryd yn union y byddai Crist yn ymweld â'r ddaear am yr eildro a'r tro olaf. Yn lle hynny canolbwyntiodd tan ei farw cynnar ym 1659 ar fraenaru'r tir, gan ddefnyddio ei lyfrau i aredig meddyliau ac i ogedu eneidiau ei gyd-Gymry. Ymddangosodd *Gair o'r Gair* ym 1656, a *Cyfarwyddyd i'r Cymry* ym 1657, ac y mae holl gyfoeth gweledigaeth ysbrydol ysblennydd Morgan Llwyd ar gael yn y llyfrynnau athrylithgar hyn. Nid dogfennau hanesyddol yn unig ydynt; maent yn ddognau o hanes, ac wrth eu darllen gallwn ymgydnabod â theithi meddwl un o'r cyfnodau mwyaf cyffrous yn holl hanes crefydd yng Nghymru.

'Mae'r tân wedi ennyn yng Nghymru. Mae drws dy fforest di (O wlad y Brutaniaid presennol) yn agored i'r eirias dân'. Hwyrach na wireddwyd geiriau'r Golomen, yn *Llyfr y Tri Aderyn*, yn syth. Er mor ysbrydoledig oedd Morgan Llwyd, ni lwyddodd ar y pryd i danio dychymyg gwlad gyfan. Ond ar ôl ei ddydd aeth eraill i mewn i'w lafur, ac i'w faes llafur ef. Roedd dysgeidiaeth y Crynwyr yn ddigon tebyg i ddysgeidiaeth Morgan Llwyd, ac ar ôl 1660 fe gawsant hwy dderbyniad arbennig o dda yn ardaloedd ei febyd. Fe berthyn i'w hanes hwy lawer o'r cyffro a'r rhamant a nodweddai fywyd Llwyd. Gŵyr pawb bellach am y daith o Ddolgellau i Pennsylvania, ac am hanes sefydlu Bryn-mawr.

Er bod y sectau Anghydffurfiol a lwyddodd i oroesi cyfnod yr Adferiad yn ddigon parod i gydnabod eu dyled i

Forgan Llwyd, nid oeddent yn rhy hoff o'i lyfrau am eu
bod, yn eu tyb hwy, yn rhy gymhleth i'w defnyddio fel
gwerslyfrau moesol hwylus. Ond ailgyhoeddwyd nifer o'r
llyfrau droeon yn ystod y ddeunawfed ganrif, a chyda thwf
yr 'Anghydffurfiaeth newydd' (a gynhwysai'r Method-
istiaid ymhen y rhawg) gwelid diddordeb cynyddol yng
ngweithiau Morgan Llwyd, a hefyd yn hanes ei fywyd
rhyfeddol anturus. Perchid ef fel gweithredwr cymdeith-
asol a gwleidyddol yn ogystal ag fel awdur gweithiau
ysbrydol coeth, cyfriniol. Sylwer, er enghraifft, mai Tom
Ellis, y Rhyddfrydwr enwog a'r 'radical' mawr, oedd
golygydd y gyfrol gyntaf *Gweithiau Morgan Llwyd o
Wynedd* (1899), a bod y gyfrol honno wedi ei chyflwyno i
Lewis Edwards ac i Michael D. Jones.

Mae'n dda gallu dweud fod yr hyn a gyflawnwyd gan
Forgan Llwyd fel llenor, meddyliwr, a gwleidydd
crefyddol yn dal hyd heddiw i ennyn yr un edmygedd a'r
un brwdfrydedd. Yn wir, ni ellir cael gwell amgyffrediad o
helaethrwydd athrylith Morgan Llwyd ac o amlochredd ei
weithgareddau na'r hyn a fynegir mor gryno yng ngeiriau
grymus Derec Llwyd Morgan:

> Y mae Morgan Llwyd yn un o'r ffigurau mwyaf
> diddorol oll yn hanes llenyddiaeth Cymru. Nid oes
> raid dal taw ef yw'r *llenor* mwyaf diddorol, er y
> gellir dadlau'r achos hwnnw hefyd; ond fel *ffigur*, y
> mae'n hynod hynod ddiddorol. O blith y mawrion,
> o ran amrywiaeth y dylanwadau a fu arno, o ran
> cyffroi'i rawd, o ran ystyfnigrwydd ffrwythlon ei
> unigolyddiaeth, ac o ran ei arwyddocâd yn ei
> ddydd, Saunders Lewis yw'r unig un sy'n cymharu
> ag ef. Ac ym mrwydr yr oesau, ni hoffwn orfod
> dewis rhyngddynt.

Eto, yn ein cyfnod ni cafwyd tystiolaeth gan fardd fod
unplygrwydd yr enaid prin a ddatguddir i ni yng ngeiriau'r
llyfrau yn fawr ei apêl i'r rhai sydd erbyn heddiw wedi eu

blino a'u drysu gan 'opiniwnau lawer' ein canrif. Dyma
brofiad Euros Bowen 'Wrth Fedd Morgan Llwyd':

A heb boeni yno o gwbl
    am opiniynau gwŷr,
yn chwyn ofer
    fel trochion afon,
yn ddifai fe dyfai o'r dwfn
wenithen ddethol,
a bywyn ei rhin yn gyfrinach
o'r glana o egin a fu—
    o'r goleuni a egnïai o'i fewn.

Y 'goleuni a egnïai o'i fewn': dyna'n union yr oedd
'Piwritaniaeth' yn ei olygu yn achos Morgan Llwyd yn y
pen draw. Nid cyfundrefn ddeallusol mohoni, ond
'cenadwri', chwedl R. Tudur Jones, 'a heriai ddynion i
ymlynu'n bersonol wrth raglen o darddiad dwyfol. Ac
wrth ei chofleidio darganfyddai dynion wir arwyddocâd
eu bodolaeth . . . Nid rhywbeth i'w gymeradwyo â'r deall
yn unig mohoni, ond rhywbeth i'w arddel â phob
cynneddf—deall, ewyllys, a theimlad.' Un o blant y
goleuni oedd Morgan Llwyd y Piwritan, a gwyddai, yn
well nag unrhyw wyddonydd o'n canrif ni, mai egni
llachar yw goleuni:

Darllen y llyfr sydd ynot ti, a gwêl mai fel yr oedd
ar y cyntaf y ddaear yn afluniaidd ac yn wag, a
thywyllwch ar wyneb y dyfnder, felly hefyd
dyfnder yw'r galon, a thywyllwch sydd yn ei gorch-
uddio, fel na chaffo weled mewn pryd mor wag, ac
mor afluniaidd, ac mor anhrefnus yw'r byd oddi
fewn. Ond yn hyn y mae cysur i'r rhai a ddisgwyl-
iant, fod Duw yn gorchymyn i oleuni ddyfod allan
o'r tywyllwch, ac yn gwahanu rhwng y nos a'r dydd
yn yr un enaid . . . Cofia yn wastad fod Duw wedi
rhoi cannwyll ynot ti, ac nid yw hi eto yn llosgi ond
yn wan: os y cnawd a gaiff ei gorthrymu ynot, a'i

diffodd hi, hi a fydd yn fwg, ac yn sawyr drwg fyth
ynot ti; ond os gadewi di i'r Ysbryd Glân fflamio
ynddi hi, fe a lysg yr holl gnawd, ac a bura'r enaid
i Dduw.

DARLLEN PELLACH

Hugh Bevan, *Morgan Llwyd y Llenor* (Caerdydd, 1954).

E. Lewis Evans, *Morgan Llwyd* (Lerpwl, 1930).

Gweithiau Morgan Llwyd, cyf. 1, gol. T. E. Ellis (Bangor a Llundain, 1899); cyf. 2, gol. J. H. Davies (Bangor a Llundain, 1908).

Christopher Hill, *The Century of Revolution* (Llundain, 1961).

R. Tudur Jones, 'The Healing Herb and the Rose of Love', yn *Reformation, Conformity and Dissent*, gol. R. B. Knox (Llundain, 1977).

Morgan Llwyd, *Llyfr y Tri Aderyn*, gol. M. Wynn Thomas (Caerdydd, 1988).

G. F. Nuttall, *The Welsh Saints, 1640-1660* (Caerdydd, 1957).

Thomas Richards, *A History of the Puritan Movement in Wales, 1639-53* (Llundain, 1920).

M. Wynn Thomas, *Morgan Llwyd* (Caerdydd, 1984).

Ysgrifeniadau Byrion Morgan Llwyd, gol. P. J. Donovan (Caerdydd, 1985).

Y WASG GYMREIG YN Y BEDWAREDD GANRIF AR BYMTHEG

Aled Gruffydd Jones

Mae dyfodol Cymru yn y botel inc.
Glaslyn

Y mae un peth yn sicr: ni all y genedl fyw heb wasg.
E. Morgan Humphreys (1945)

Dichon fod tinc afreal yn yr awgrym fod ffawd cenedl yn ddibynnol ar bwt o bapur ac inc; ond nid gormodiaith fwriadol pesimist arall o Gymro a geir yn y dyfyniad moel hwn yn gymaint â rhybudd mewn da bryd o'r argyfwng a fyddai'n wynebu'r genedl pe collai ei gallu i ddatgan ei hamryfal ddaliadau ac i sicrhau i'w phobl y modd i gyfathrebu'n hwylus â'i gilydd. Mae arwyddocâd y gosodiad mewn perthynas â dyfodol Cymru yn gwbl amlwg, ond nid yw mor eglur ar ba sail y dylid ei dderbyn fel gwirionedd, nac ychwaith ymhle na phryd y dechreuodd y gred bod gwasg yn rhan annatod o'r diffiniad modern o genedl. Cyhoeddodd yr awdur ei lyfr *Y Wasg Gymraeg* yn nyddiau olaf blin a thynghedus yr Ail Ryfel Byd, mewn cyfres o astudiaethau dan olygyddiaeth E. Tegla Davies a geisiai esbonio 'beth a ddaw o Gymru ym merw a dadrithio y dyfodol agos'. Llyfr hanes ydyw, ond ei fwriad oedd darganfod pam yr oedd ei Gymru gyfoes ef yn gwanychu. Ddeugain mlynedd yn ddiweddarach, fel y mae'r ganrif argyfyngus hon yn dirwyn i ben, y mae'r amser wedi dod i ailystyried ei ddyfarniad. Wrth dalu'r deyrnged hon i E. Morgan Humphreys, a oedd yn hanesydd ac yn newyddiadurwr o fri, yn ogystal â bod yn sylwebydd brathog ar gyflwr ein diwylliant, mae modd ailagor trafodaeth ar ddyletswyddau'r cyfryngau yn y Gymru a fu ac sydd ohoni. Wedi'r cyfan, os oes lle i gredu bod gwasg yn anhepgor i fywyd cenedl, mae'n ofynnol inni ystyried yn ddwys ac yn feirniadol unwaith yn rhagor y cyfraniad a wneid gan y cylchgronau a'r papurau newydd i gyflwr y Gymru ddiweddar.

A ydyw'n ffaith na all cenedl fodern fyw heb wasg? Dibynna'r ateb i raddau helaeth ar yr ateb a roddir i gwestiwn arall, sef beth yw amcanion gwasg gyfnodol mewn cymdeithas? Gall hanes difyr y wasg yn y ganrif

ddiwethaf daflu rhywfaint o olau ar y problemau hyn, gan
ddatguddio'r cymhellion a fu dros gyhoeddi cyfnodolion,
a thrwy hynny awgrymu pa swyddogaethau cymdeithasol
a gwladol y bwriedid iddynt eu cyflawni. Ar y seiliau
hyn, gellid dyfalu pa mor llwyddiannus y bu'r ymdrech, a
faint o ddylanwad a gawsant ar y gwaith o feithrin ac o
gynnal diwylliant cenedl. Llygad-dynnwyd E. Morgan
Humphreys hefyd gan yr apêl at hanes. Prif nod ei gyfrol
fechan ddadleuol oedd ceisio gwrthgyferbynnu cyflwr y
wasg yng Nghymru yn negadau olaf y bedwaredd ganrif ar
bymtheg â'r darlun a geid ar ddiwedd yr Ail Ryfel Byd.
Roedd y gwahaniaethau yn boen enaid iddo. Casbeth iddo
oedd adrodd hanes y dirywiad a ddigwyddodd nid yn unig
yng nghymeriad ac ansawdd newyddiaduraeth yng
Nghymru ond hefyd ym mywiogrwydd a hyder y Gymru
Gymraeg fel y cyfryw. Iddo ef, gellid priodoli gwanhad y
gymdeithas Gymraeg, yn rhannol o leiaf, i drai llif y wasg
Fictoraidd. Nid cyd-ddigwyddiad, meddai, oedd y ffaith
mai yng nghyfnod pen llanw'r wasg gyfnodol yr adfyw-
iodd Cymreictod. Yn ystod eu Hoes Aur, honnai, llwydd-
odd y cyfnodolion, yn arbennig y papurau wythnosol
rhad, i dreiddio'n ddwfn i'r gymdeithas ac i sefydlu
perthynas glòs ac adeiladol â'u cynulleidfaoedd. Er
gwaethaf rhagfarn y sawl a fynnai fod y papurau wyth-
nosol yn 'ymylol' neu'n 'is-ddiwylliannol', ac o'r
herwydd y gellid eu hepgor am eu bod o ychydig werth, y
gwir yw fod llenyddiaeth doreithiog y wasg gyfnodol wedi
cyflawni gorchwylion hanfodol bwysig yn y ganrif
ddiwethaf. Rhoddid hanes amryliw y wlad ar gof a chadw.
Rhoddid yr iaith Gymraeg ar waith. Taenid gwybodaeth
am y byd, a chreïd ymwybyddiaeth ynglŷn â phrob-
lemau'r dydd. Ar ei gorau, ceid yn ei cholofnau addysg a
difyrrwch, ac i'r sawl a ddilynai'r arwyddion mynych yn
ofalus ceid hefyd gipolwg amheuthun ar rai o hunan-
ddelweddau'r oes. Yn anad dim, efallai, arfaethai'r wasg
roi arweiniad mewn materion crefyddol, gwleidyddol,

EVERY FRIDAY. (Established 1804.) ONE PENNY.

Telegrams:
"Cambrian Newspaper,"
Swansea.

Telephone:
No. 30.

The Cambrian,

THE FIRST NEWSPAPER IN WALES,

A Family Journal and General Advertiser of the Highest Class,
generally recognised

THROUGHOUT SOUTH WALES

as the Best Medium for every description of Advertisement.

ADVERTISEMENTS may be received at the Office—No. 58, WIND STREET, SWANSEA, up to 11 o'clock on THURSDAY NIGHT, but those posted on Thursday night will NOT, as a rule, be in time for publication on Friday morning.

THE CAMBRIAN contains Full Reports of the Week's Eevnts in Swansea and surrounding neighbourhood; News, Notes and Gossip from every District in West Glamorganshire and East Carmarthenshire; "The Cambrian Magazine," being a page for old and young; Sports and Pastimes, including special notes on Football, by "Argus," and a large staff of District Correspondents; Special Articles, Notes and Notions, &c.

· · Y GONGL GYMREIG · ·

Adolygiadau, Barddoniaeth, Gohebiaethau, Newyddion a Nodiadau, &c.

19   *The Cambrian, newyddiadur wythnosol cyntaf Cymru.*

Cyhoeddir, yn Llanelly, ar y Dydd Cyntaf o Awst 1835,

DAN NAWDD GWEINIDOGION YR ANYMDDIBYNWYR,

Y RHIFYN 1af o'r

DIWYGIWR,

PRIS CHWE CHEINIOG,

I DDYFOD ALLAN BOB MIS.

HANESYDDIAETH yr oesoedd gynt, ynghyd a ffaethiau noeth yr oes gyffrous bresenol, a eglur ddangosant, i Dywysog Tangnefedd ddisgyn i 'fwrw tân ar y ddaear, ac ei fod yn ol ei ewyllys, wedi dechreu cynneu eisoes.' Llosgir yn ulw noddfeydd celwydd,—goresgynir yn llwyddianus orsafoedd creuloneddau,—ysir yn ddiarbed gadwynau gorthrymder,—ymlydir ar ffrwst y tywyllwch teimladwy a chaddugaidd ag oedd yn dô dros deulu dyn,—'difair y gorchudd sydd yn gorchuddio yr holl bobl,'—tanir llocheswaydd cuddiedig y Demetriusaid a'r crefftwyr, nes yr ymwylltiant yn gynddeiriog ar led y deyrnas: fel y gwelir 'pump wedi ymranu, tri yn erbyn dau, a dau yn erbyn tri; y mab yn amharchu ei dad, y ferch yn cyfodi yn erbyn ei mam, a'r waudd yn erbyn ei chwegr.' Ac wrth ystyried ansawdd teimiadau dynolion, a gafael grafangaidd y Cryf-arfog am danynt, afreasymol fyddai dysgwyl i Grist gael y deyrnas iddo ei hun heb lawer o gynhyrfiadau cyffrous,—rygydwadwu gerwin,—a thwrw mawr, nid yn unig yn y ddaear, ond y nef hefyd. Bu yr ysbryd sydd yr awr hon yn gweithio yn mhlant anufydd-dod, yn cadw neuadd y byd yn hir mewn heddwch; gwedi mwgodi y Bibl a thredoau dynol, ic a seremoniau cnawdol, hawdd oedd dallu meddyliau y rhai digred fel yr anghofiasant eu bod yn ddynion, collasart olwg ar eu hiawnderau, yn ufydd iawn gosodent eu gyddfau yn nghebystran eu gormeswyr gwladol a chrefyddol, i'w harwain a'u mharchog ganddynt fel yr ewyllysient. Fel mai yr oes dywysog o'r byd oedd y fwyaf ddiogffro a llonydd. Nid rhyfedd gan hyny ydyw clywed begegyron segur yn oernadu yn ofnadwy dan fantell crefydd, er darbwyllo yr ehud, a thwyllo'r didybus; nid syn yw gweled rhyw rodreswyr hoccedus yn dirwyn allan ffregodau ffolion, er brawychu'r werin i gredu bod y byd yn ffaglu, oherwydd bod eu Sibboleth hwy yn anghynefodig, a'u helw yn siglo. Ond er rhacanu yr holl hen swynion a ddefnyddiwyd yn llwyddianus gynt, y maent yn awr wedi colli eu cytaredd; gwyr y werin mai llyfr iddynt hwy ydyw y Bibl, ac nad oes eisiau na Phab, na Brenin, nac Esgob, na Synod, i sefyll rhyngddynt ag ef. Yn y goleu y mae dynion yn gweled eu hurddas, hènant eu hiawnderau, teimlant eu bod yn rhydd i farnu drostynt eu hunain; o ganlyniad y mae pob torch ynghadwyn gormes wladol a chrefyddol, wedi ei hestyn i'r eithaf, ac nid oes mwyach ond dysgwyl iddi fyned yn ddrylliau.

Dan dirion nawdd y Goruchaf bu y Cyhoeddiadau Misol a gylchredasant trwy y dywysogaeth, yn fendithiol iawn er codi'r dorf i'r pinacl ar lan y safant; ond oherwydd gwrthgwympiad ysgeler rhai i fachludiad tragywyddol, a dieidiogrwydd eraill: bwriedir anfon y DIWYGIWR er cynnorthwyo dymchwelyd y 'dychymgion ac sydd yn ymgodi yn erbyn gwybodaeth Duw;' Cyhoeddir ef ar yr un egwyddorion cyhoedd a'r DYSGEDYDD crefyddol, ac i fod yn gydweithiwr ac ef. Ni wrthwyneba'r DIWYGIWR un Cyhoeddiad arall cyhyd ac y dadleuant dros heddwch, aymudiad beichiau trymion, gollyngiad y gorthrymedig yn rhyddion, toriad pob un orthrymus, ffrwyth ei chwys a'i ludded i'r gwan, parch i'r hwn y mae parch yn ddyledus, 'yr eiddo Cæsar i Cæsar, a'r eiddo Duw i Dduw.' Ymddengys bob mis yn gwbl fonedigaidd, ni chluda geccraeth yn erbyn neb, nac ymosodiad personol ar neb; ni chaiff neb drwyddo chwdi ei lyenafedd, na chwythu ei bruddglwyf am draws enwogion oherwydd ei bod yn union eu hegwyddorion, ac yn gyson eu hymddygiadau. Bydd ynddo foddion i ddifyru bonedigion o wahanol archwaethau. Taer ddymunir ar y byswgrafawr i lechreu enwogion fu ar faes crefydd, ac y duwinydd i bryderthu ei dudalenau A ffrwyth ei fyfyrdod. Yr hynafiaethwyr, y seryddion, a'r philosophyddion, athraw yr ysgol sabbothol, yr hysbyswr, yr hanesydd gwladol a chrefyddol, y caniadydd, a'r bardd, a gant roesaw mawr bob mis. Dilynir y senedd yn eu hygogiadau, rhoddir hanesion cywir o'r gwahanol bethau a ddygir yn mlaen yno; bydd y DIWYGIWR yn helaethach yn y dosparth gwladol nac un Cyhoeddiad a gyhoeddir yn awr yn y dywysogaeth. Teilynga sylw difrifol darllenwyr Cymru: gobeithir y gwna'r cyhoedd gydnabod pwysigrwydd yr egwyddorion a broffesant, a thros ba rai y dyoddefodd ein tadau en hyspeilio yn hawn o'r pethau oedd ganddynt: na fydded i neb o'r Ymneillduwyr warafwyddo eu hunain trwy ymreuu gyda rhai dienwaededig, nid yw yn amser i fod yn ddifywyd ac yn fasw, y mae egwyddorion o ganlyniadau bythol yn gwrthdaro, y mae goleuni a thywyllwch mewn ymdrech, y mae rhyddid a chaethiwed yn ymryron am y fuddygoliaeth. Ni bu erioed egnion mwy uffernol yn cael eu gweryd i estyn llaw haiarnaidd gorthrwm, ac i dori adenydd rhyddid, nac a wneir yn bresenol; y mae budr-elw a llwgr-wobrau fel amryfusedd cadarn yn darbwyllo dynion i gredu celwydd, ac yn golymu eu hysgrifellau a'u tafodau i amddiffyn egwyddorion a godasant o uffern, ac sydd raid iddynt ddychwelyd yno.

** Derbynir Enwau gan y Gweinidogion yn gyffredinol, a Mr. EDWARD JONES, Haiarnwerthydd, Heol y brenin, Caerfyrddin; a bydd i gyfeillion ddyfod heibio yn fuan er casglu yr Enwau.

Tri pheth sydd yn ymwanhau beunydd gan faint penaf yr ymgais yn eu gwrth, *cas, camwedd,* ac *anwybodaeth.*

---

20   Prospectws *Y Diwygiwr*. Bu David Rees ('Y Cynhyrfwr') yn golygu'r cylchgrawn radical a dylanwadol hwn rhwng 1835 a 1865.

llenyddol a moesol i'r gymdeithas a oedd yn ei chynnal. Yn yr ystyr hon, gellid honni mai un o brif ddyletswyddau'r wasg yn y bedwaredd ganrif ar bymtheg oedd cynnig arweinyddiaeth i'r gymdeithas drwy hybu'r wybodaeth a'r ddealltwriaeth a alluogai'r cyhoedd i gyfrannu at wleidyddiaeth gwlad ac at reolaeth y gymdeithas sifil. Os gwir yw hyn, mae'n debyg iawn fod gwir hefyd yn narogan arswydus E. Morgan Humphreys.

Cyrhaeddodd y wasg Gymreig ei hanterth yn ystod ail hanner y bedwaredd ganrif ar bymtheg. Ond yr oedd golygyddion a newyddiadurwyr Cymreig wedi bod yn cynhyrfu'r dyfroedd er o leiaf y ddeunawfed ganrif, pan ymddangosodd cyfnodolion megis *Tlysau yr Hen Oesoedd* ym 1735 neu'r *Cylchgrawn Cynmraeg* ym 1793. Brwydrai pob newyddiadur dan anawsterau dybryd, yn arbennig yn ystod y cyfnod rhwng 1797 a 1836 pan godwyd trethi uchel ar hysbysebion, tollau ar bapur ac, yn bennaf oll, treth drom ar gyhoeddi papurau newydd. Er bod Treth Stamp wedi bod mewn bodolaeth er 1712, bwriad deddfau 1797, 1815 a 1819 oedd ffrwyno dylanwad y carfanau radicalaidd a oedd ar gynnydd drwy'r wlad yn ystod ac ar ôl y Chwyldro Ffrengig. Trwy godi treth o bedair ceiniog ar bob copi, ceisiodd y llywodraeth sicrhau fod y papurau a fyddai'n arddel syniadau radicalaidd yn rhy ddrud i'w prynu gan weithwyr cyffredin. Ni fu'r ddeddf yn llwyddiant. Darganfu radicaliaeth ym Mhrydain egni newydd ar ddechrau'r 1830au, yn rhannol oherwydd bodolaeth y ddeddf annheg hon. Erbyn 1836 yr oedd Treth y Stamp mor amhoblogaidd ac mor anymarferol (cyhoeddwyd oddeutu pum cant a hanner o bapurau ceiniog anghyfreithlon yn y blynyddoedd hyn) nes iddi gael ei diwygio, gan ostwng cost y Stamp o rôt i un geiniog. Gwelodd y wasg boblogaidd yng Nghymru ffyniant syfrdanol yn y misoedd a ragflaenodd ac a olynodd y ddeddf bwysig hon. Ym 1835 ymddangosodd am y tro cyntaf amryw o gyhoeddiadau anrhydeddus fel *Yr Haul*, a gyhoeddwyd gan William Rees ac a olygwyd gan Brutus (David Owen), *Y Diwygiwr* gan David Rees, 'Y Cynhyrfwr', Llanelli, *Cronicl yr Oes* gan Feudwy Môn (Owen Jones) a Roger Edwards yr Wyddgrug, a'r *Seren Ogleddol* gan Josiah Thomas Jones a Chaledfryn (William Williams), a adwaenid ar ôl hynny fel *Y Papur Newydd Cymraeg* a *Baner Gwynedd*. Daeth amryw o rai eraill hefyd i lanw'r bwlch yn y misoedd cynhyrfus a llawn gobaith hyn, megis *Y Wenynen*, a olygid gan Lan Alun (Thomas Jones) yn Wrecsam, *Yr Athraw*, misolyn, dan ofal Humphrey Gwalchmai, a gafodd ailenedigaeth ym 1845 dan bennawd *Y Traethodydd*, neu'r *Brytwn*, papur a gyhoeddid gan R. Sanderson yn Y Bala ac a ymfalchïai yn ei Dorïaeth a'i ymlyniad dygn wrth egwyddorion Eglwys Loegr. Er bod y papurau hyn yn eu glas ieuenctid yn llawn ddisgwyl ymateb brwdfrydig oddi wrth y cyhoedd, dylid cofio bod y dreth geiniog yn cadw eu pris yn uchel a gorfu iddynt barhau i arddangos y Stamp atgas ar wynebddalen pob rhifyn.

Bu tro ar fyd yn statws cyfreithiol y wasg gyfnodol yn ystod yr ugain mlynedd a ddilynodd ddeddf 1836. Diddymwyd y dreth ar hysbysebion ym 1853 a'r doll ar bapur ym 1861, ond y newid pwysicaf a fu ar yr hen drefn oedd diddymu Treth y Stamp ym 1855. O'r diwedd, yr oedd y wasg newyddiadurol yn rhydd o gadwynau'r wlad-wriaeth, a datblygodd yng Nghymru, fel yng ngweddill gwledydd Prydain, fath newydd ar lenyddiaeth gyfnodol. Os bu Oes Aur erioed yn hanes y wasg Gymreig, yn ddiamau y cyfnod rhwng 1855 a 1914 oedd hwnnw. Cyhoeddwyd oddeutu pum cant o wahanol gyhoeddiadau yng Nghymru yn ystod y blynyddoedd hynny, ac yn Gymraeg yr oedd cyfran dda ohonynt. Gwir mai byr-hoedlog fu rhawd y mwyafrif, er bod rhai eithriadau nodedig megis *Yr Herald Cymraeg*, a achubodd y blaen ar ddeddf 1855 o ychydig wythnosau, ac sydd wedi parhau hyd heddiw. Ond bu'r cynnydd yn y dewis o gyhoedd-

THE ONLY

CONSERVATIVE AND CHURCH PAPER

PRINTED

IN THE WELSH LANGUAGE.

Y DYWYSOGAETH

PUBLISHED EVERY SATURDAY, PRICE ONE PENNY.

Y DYWYSOGAETH has a very extensive circulation—being posted to Subscribers or Sold by Agents—in almost

EVERY TOWN AND HAMLET

in Flintshire, Denbighshire, Carnarvonshire, Anglesey, Merionethshire, Montgomeryshire, Glamorganshire, Radnor, Carmarthenshire, Cardiganshire, Brecknockshire, and Pembrokeshire; also, in Monmouthshire, London, Liverpool, Manchester, Chester, Oxford, Cambridge, &c., &c.

Y DYWYSOGAETH is not a Local but

A NATIONAL NEWSPAPER,

with a widespread circulation.

Y DYWYSOGAETH circulation is not confined to a particular class, it is received by the Clergy, Nobility, Gentry, Farmers, Manufacturers, Tradesmen, Working-men, &c., &c.

Y DYWYSOGAETH—Advertisers may feel assured—is the best if not the only medium whereby their announcements can be simultaneously perused in every county THROUGHOUT THE WHOLE OF WALES.

PREPAID TERMS.

	3 Months.	6 Months.	Year.
One copy (free by post)	1s. 6d.	3s. 3d.	6s. 6d.
Three copies	4s. 4d.	8s. 8d.	17s. 4d.

---

21 *Y Dywysogaeth:* enghraifft brin o newyddiadur Cymraeg Torïaidd ac Eglwysig, *c.* 1881.

iadau a oedd ar gael i'r Cymry yn syfrdanol. Dywed un archwiliad ym 1860 bod pum papur newydd ar hugain yn cael eu cyhoeddi yng Nghymru y pryd hwnnw, ond yn ôl *Y Gwyddoniadur Cymreig* yr oedd y nifer wedi cyrraedd 61 erbyn 1879 (13 ohonynt yn Gymraeg) a 95 erbyn 1893 (pymtheg yn Gymraeg). Fel y tystiodd Beriah Gwynfe Evans gerbron ymholwyr y Comisiwn Brenhinol ar Addysg Gynradd ym 1886-7, yr oedd 120,000 o gopïau o newyddiaduron Cymraeg yn cylchredeg yn wythnosol yn y flwyddyn honno, yn ogystal â 150,000 copi y mis o gylchgronau Cymraeg. Anodd ar y naw yw amcangyfrif maint cylchrediad cyhoeddiadau neilltuol, ond maentumiai Beriah Gwynfe Evans fod cylchrediad y papurau Cymraeg yn amrywio o tua 1,500 yr wythnos ymhlith rhai o'r papurau lleol neu enwadol i 23,000, sef y gwerthiant a froliai *Y Genedl Gymreig* yng Nghaernarfon. Mae'n amlwg fod marchnad barod yn ogystal i'r cyfnodolion misol; yn wir, llwyddodd *Cymru* O. M. Edwards (y 'Cymru Coch', fel yr adwaenid ef gan ei garedigion) i gyrraedd cylchrediad o bum mil o fewn ychydig fisoedd i'w gychwyn ym 1891. Bu cynnydd sylweddol hefyd yng nghylchrediad y papurau Saesneg eu hiaith, fel y dengys ffigurau'r *Western Mail* (5,730 ym 1869, 13,000 ym 1874, a 100,000 erbyn y Rhyfel Byd Cyntaf). Ond gall hyd yn oed y ffigurau hyn fod yn gamarweiniol, oherwydd y mae rhai haneswyr yn honni bod pob copi o bapur newydd yn y cyfnod hwn yn cael ei ddarllen, ar gyfartaledd, gan saith neu wyth o bobl, neu yn y 1830au cynhyrfus, gan gymaint ag ugain. Er bod amryw o ddarllenwyr yn prynu copïau unigol iddynt hwy eu hunain, fel y gwnânt heddiw, câi eraill gyfle i fyseddu a darllen y papurau hyn mewn tafarndai, ystafelloedd darllen a chlybiau. Yn aml, byddent yn *gwrando* ar gynnwys y papurau mewn mannau cyhoeddus o'r fath. Dim ond ar ôl i lythrennedd gynyddu ymhlith y boblogaeth, ynghyd â dyfodiad gwelliannau eraill megis goleuo tai ac adeiladau cyhoeddus â lampau nwy, ac, wrth gwrs, gostyngiad y pris i geiniog neu ddimai, yr ymledodd yr arfer ymhlith unigolion o brynu papurau newydd. Mae'n bur amlwg fod E. Morgan Humphreys yn gywir ei farn fod y wasg gyfnodol wedi cyrraedd stad hynod lewyrchus yn ystod ail hanner y ganrif ddiwethaf, a bod ei chynnyrch yn hollbresennol yn nhrefi a phentrefi Cymru benbaladr. Yr oedd miloedd o bobl yn dod i arfer darllen y papurau newydd a'r cyfnodolion yn rheolaidd, ac yn wir yn dod yn gyfarwydd â'r arfer o gyfrannu atynt hefyd. Nid eneidiau llonydd a goddefol oedd y darllenwyr, ond yn hytrach dynion a merched a oedd yn chwarae rhan fywiog yn y broses o daenu rhwyd y wasg dros y gymdeithas gyfan. Yn wyneb y gystadleuaeth frwd a fodolai rhwng amryw o'r cyfnodolion hyn, mae'n amlwg fod ymateb y darllenwyr wedi bod o gryn bwys i ddatblygiad a llewyrch y cyhoeddiadau mwyaf llwyddiannus. Ar y lefel elfennol hon, sy'n ddibynnol ar fecaneg seml ac amhersonol y farchnad, mae'n ymddangos fod cysylltiad agos rhwng twf ac egni'r wasg gyfnodol ar y naill law a chyflwr hunanhyderus diwylliant y genedl yn gyffredinol ar y llall. Yn wir, gellid honni fod y naill yn fesur dibynadwy o'r llall.

Ond gorfu i'r sawl a gyhoeddai bapur newydd yn y cyfnod hwn gyfeirio ei sylw at ddatblygiadau technolegol, at ofynion hysbysebwyr ac at y newidiadau a fu mewn perchenogaeth a newyddiaduraeth, yn ogystal ag at ddymuniadau'r darllenwyr. Ar ôl cyfnod hir pan oedd y perchennog yn golygu, ysgrifennu, argraffu a dosbarthu ei bapur, yn aml ar ei ben ei hun, cyflwynwyd trefn gynhyrchu a rannodd y prosesau hyn a'u trosglwyddo i ddwylo arbenigwyr. Trawsffurfiwyd strwythur y fenter, a diwydiannwyd gweithgaredd a oedd gynt yn aml yn amhroffesiynol os nad yn gwbl amatur. Wrth reswm, yr oedd sawl mantais i gynhyrchydd newyddiadur yn hyn o beth. Bu gwelliant sylweddol ym myd argraffu, yn arbennig ar ôl ymddangosiad y peiriant cysodi 'linotype' a ddefnyddid i argraffu papurau fel *Baner ac Amserau Cymru* o ddiwedd y 1890au ymlaen. Gallai'r peiriannau newydd gysodi ac argraffu rhagor o gopïau yn gyflymach ac yn hwylusach nag erioed o'r blaen, ac yn eu sgîl datblygodd byddin fechan o gysodwyr a oedd i raddau helaeth yn ddibynnol am eu bywoliaeth ar waith a roddid iddynt yn swyddfeydd y papurau newydd. Daeth i'r amlwg hefyd y golygydd nad oedd yn berchen ar ei bapur, a'r newyddiadurwr a feddai ar statws proffesiynol. Ac uwchlaw y rhain ymddangosodd y gweinyddwyr llawn-amser, y rheolwyr busnes, ac, wrth gwrs, y perchenogion, neu o leiaf gynrychiolwyr y cwmnïau o gyfranddalwyr a oedd bellach yn hawlio meddiant ar nifer gynyddol o'r cyhoeddiadau Cymreig. Rhoddid mwy o bwyslais erbyn dechrau'r ugeinfed ganrif ar newyddion gwladol a thramor, ac ar chwaraeon a chlecs. Dilynai hyn newidiadau yn nisgwyliadau a chwaeth darllenwyr, ynghyd â gwelliannau cyfathrebu megis y 'stereotype', y teligraff, a'r asiantaethau newyddion canolog, ac, yn ddiweddarach, y teliffon a'r camera. Daeth y papurau Cymraeg i ddibynnu fwyfwy ar gyfieithiadau o'r Saesneg, neu ar eu hasiantaeth newyddion arbennig hwy eu hunain, sef adroddiadau *Y Drych*, wythnosolyn llwyddiannus a dylanwadol a gyhoeddid yn yr Unol Daleithiau. Bu newid byd hefyd mewn trefniadaeth ddosbarthu, yn arbennig gyda thwf y rheilffyrdd o'r 1840au ymlaen, a'r siopau llyfrau a ddaeth i orsafoedd Cymru yn eu sgîl. Drwy'r rhain yn bennaf y treiddiodd gwasg Llundain i gefn gwlad Cymru, gan ddwysáu'r gystadleuaeth ymhlith y papurau Cymreig. Yr oedd amwyster hefyd yn y pwyslais cynyddol a roddid ar hysbysebion fel modd i ariannu wythnosolyn neu bapur dyddiol. Gwir eu bod wedi rhoi annibyniaeth wleidyddol i olygyddion, ond ar y llaw arall mae'n amlwg fod amryw o'r papurau Cymreig wedi cael trafferthion garw wrth geisio denu masnachwyr lleol ac eraill i hysbysebu digon i'w harbed rhag methdaliad.

Yn rhannol o ganlyniad i'r datblygiadau technolegol, gweinyddol ac ariannol hyn, ymfudodd canolfannau newyddiaduraeth yn raddol o'u hen ardaloedd ar groesffyrdd gwlad, megis Caerfyrddin ac Aberhonddu, i drefi poblog fel Caerdydd, Merthyr, Aberdâr a Chaernarfon. Yn hyn dilynent drywydd yr oes a oedd yn arwain o'r hen Gymru wledig i gyfeiriad cadarnleoedd y Gymru drefol neu ddiwydiannol newydd. Safodd ambell un ei dir yn erbyn y môr o foderneiddio, gan lwyddo i ymdopi rywsut neu'i gilydd. Ond erbyn degadau cynnar y ganrif hon, mynd gyda'r llanw a wnaeth y gweddill neu ddiflannu'n llwyr o dan y don. Oherwydd yr oedd pris trwm i'w dalu am ryddid cyfreithiol 1855 a 1861. Yn lle deddfwriaeth lem y ddeunawfed ganrif, brwydrai perchenogion a golygyddion yn awr yn erbyn peryglon enbyd y farchnad rydd, ac yng nghorwynt chwyldro newyddiadurol ail hanner y bedwaredd ganrif ar bymtheg mentrodd amryw o sylwebyddion honni fod y wasg bellach wedi colli ei diniweidrwydd.

Ond nid canlyniad syml a naturiol i ddiwygiadau rhyddfrydol llywodraeth oedd yr Oes Aur hon i'r wasg yng Nghymru. Yn wir, profwyd llwyddiant er gwaethaf adnoddau prin ac anawsterau economaidd difrifol. Dan yr amgylchiadau, nid llai na gwyrth ydyw fod gwasg Gymreig, heb sôn am wasg Gymraeg, wedi bodoli o gwbl yn y cyfnod hwn. Mae'n amlwg fod rhaid esbonio'r llewyrch drwy edrych y tu hwnt i esboniadau mecanyddol neu economaidd sy'n ymwneud â deddfwriaeth, newid yn y farchnad, neu dwf rhyw fath o gyfalafiaeth boblogaidd. Mae'r wefr a'r optimistiaeth sydd i'w canfod yng ngholofnau'r papurau hyn fel petaent yn gwadu eu cyflwr tlawd ac ansicr. Un modd o ddatrys y dirgelwch yw ystyried y posibilrwydd mai math ar ddyletswydd oedd ysgrifennu at a chyhoeddi cyfnodolion, ei bod yn ymdrech gan weinidogion a deallusion i roi arweiniad i'r gymdeithas er gwaethaf gofynion y farchnad gyfalafol.

Nid yw'r syniad yn anghyffredin. Ceir yr un ysfa i fynegi
barn yn gyhoeddus y dyddiau hyn, o leiaf yng ngwledydd
Ewrop. Mae eisoes yn nodwedd o'r wasg Ffrengig, er
enghraifft, a dyma gyfiawnhad Umberto Eco, ysgolhaig a
nofelydd adnabyddus, dros gyfrannu'n hael a rheolaidd at
y wasg gyfnodol boblogaidd yn yr Eidal, ei wlad enedigol:

> Credaf y dylai'r deallusion ddefnyddio papurau
> newydd yn y modd y byddent ar un adeg yn def-
> nyddio dyddiaduron preifat a llythyrau personol.
> Ar wres gwynias, mewn rhuthr emosiwn, dan
> symbyliad digwyddiad, dylent ysgrifennu eu
> sylwadau yn y gobaith y bydd rhywun yn darllen eu
> geiriau ac yna yn eu hanghofio . . . Mae gennyf
> reswm arall dros ysgrifennu'r pethau hyn. Credaf
> mai fy nyletswydd wleidyddol ydyw . . . Fy null i o
> weithredu'n wleidyddol yw dweud wrth eraill sut
> yr wyf yn amgyffred bywyd pob dydd, digwydd-
> iadau gwleidyddol, iaith y cyfryngau torfol.

Mae Eco, y semiotegydd modern, yma'n mynegi cred y
byddai Ieuan Gwynedd, Thomas Gee, John Gibson neu
Laslyn wedi ei llawn amgyffred ac wedi ei derbyn yn
ddidrafferth. Dyletswydd oedd newyddiaduraeth iddynt
hwythau hefyd, ac yr oedd ysgrifennu a chyhoeddi ar ran
y lliaws yn elfen bwysig a diamheuol o ddiwylliant
Cymraeg eu dydd. Nid rhodres unigolion dawnus ac
amleiriog yn unig a geid yn y papurau hyn (er pwy a ŵyr
pa fesur o falchder a fu'n gyfrifol am ysgogi hyd yn oed y
mwyaf anrhydeddus ohonynt i ddewis gyrfa o'r fath?) ond
yn hytrach ymdrechion mynych i roi cyhoeddusrwydd i
achos neu bleidio rhinweddau carfan neu fudiad arbennig.
Pobl oedd yr ysgrifenwyr hyn a chanddynt neges i'w
throsglwyddo a gwirioneddau mawr i'w datgan. A'r
mwyaf o'r rhain oedd crefydd.

Bu cynrychiolwyr yr enwadau Anghydffurfiol yn gyf-
rifol am lansio a chynnal amryw o bapurau a chylch-

gronau yn y bedwaredd ganrif ar bymtheg. Ymhlith y mwyaf adnabyddus a llwyddiannus oedd *Y Goleuad*, wythnosolyn y Methodistiaid Calfinaidd, *Y Gwyliedydd*, dan ofal y Wesleaid, *Seren Cymru*, lladmerydd y Bedyddwyr, a'r *Tyst* a'r *Celt*, a fu'n bugeilio'r achosion Annibynnol. Apeliai rhai ohonynt, megis *Y Goleuad*, at gynulleidfa y tu hwnt i'w henwad, gan wneud ymdrech i gyflawni gwaith papur newydd drwy gynnwys gwybodaeth am y byd a'i bethau yn ogystal â lledu'r neges enwadol. Gwnaeth gweinidogion yr achosion hyn gyfraniad sylweddol ac anwadadwy at dwf newyddiaduraeth yng Nghymru, a thrwy eu llafur diflino gadawsant eu hôl ar fywyd a diwylliant y wlad. Credai Henry Richard, Aelod Seneddol Merthyr Tudful a'r 'Apostol Heddwch' enwog, fod y papurau enwadol hyn, er canol y 1830au, 'wedi dysgu eu cydwladwyr fod ganddynt gyfrifoldebau i Dduw ac i'w cyd-ddynion i chwarae eu rhan yn nyletswyddau dinasyddiaeth'. Un canlyniad i'r dylanwad hwn, meddai, oedd cynhyrfu 'teimladau o anniddigrwydd' ymhlith y werin ynglŷn â safle Cymru yn y drefn wleidyddol. Ategir y farn hon i raddau gan ymateb gwasg Llundain i'r hyn a ystyrid oedd effaith uniongyrchol arweinyddiaeth y wasg enwadol Gymraeg yn ystod cyffro Rhyfel y Degwm yng Ngogledd Cymru. Yn ôl y *Times* ym mis Rhagfyr 1887, yr oedd aflonyddwyr y newyddiaduron 'law yn llaw â'r pulpud', a chyhuddid y gweinidogion trafferthus hyn o 'gerdded o'u capeli yn syth i'w swyddfeydd golygyddol'. Yn yr un cywair â'r *Times*, traethai'r *Church Times* ym mis Chwefror 1891 yn erbyn grym distrywiol 'y pregethwyr newyddiadurol' yng Nghymru. Nid oedd amheuaeth ym marn y sylwebyddion pleidiol hyn nad oedd ddylanwad, er gwell neu er gwaeth, yn perthyn i gyhoeddwyr y papurau enwadol, ac mai'r wasg oedd y prif gyfrwng er taenu eu neges.

Pa mor allweddol bynnag oedd y fantolen ariannol ar ddiwedd y dydd, nid felly y byddai'r newyddiadurwyr hyn

22 William Rees, Gwilym Hiraethog (1802-83): golygydd arloesol *Yr Amserau*, yr wythnosolyn llwyddiannus cyntaf i'w gyhoeddi yn y Gymraeg.

yn mesur llwyddiant eu gwaith. Yn hytrach, rhoddent eu pwyslais yn feunyddiol ar burdeb y neges a anfonid ganddynt ac ar ymateb eu cynulleidfa iddi. O'r herwydd, nychwyd amryw ohonynt gan faich drom y gost o gynhyrchu a dosbarthu eu papurau. Mynegodd Ieuan Gwynedd ei dristwch ynglŷn â methiant *Y Gymraes* oherwydd ei anallu i barhau i dalu ei chostau allan o'i boced ef ei hun. Wynebodd Caledfryn yr un anhawster drwy gydol ei yrfa ddisglair fel golygydd. Yng ngeiriau Scorpion (Thomas Roberts), yn *Cofiant Caledfryn:*

> Golygodd (Caledfryn) y *Sylwedydd,* cyhoeddiad misol, heb gael dim ond y golled oddiwrtho. Golygodd y *Seren Ogleddol,* heb daliad erioed; a chyn hynny *Tywysog Cymru.* Golygodd *Cylchgrawn Rhyddid* am ddim. Golygodd yr *Amaethydd,* heb gael un rhan o bedair o'r tâl a ddylasai gael. Golygodd y *Gwron* am bedair blynedd, a chollodd trwy hynny dros saith bunt a deugain.

Yr un fu'r drefn yn hanes sawl golygydd arall a ymdrechodd yn ddiflino i ddarparu ymborth newyddiadurol i bobl Cymru. Sylwodd Glaslyn (R. J. Owen) na chafodd Gwilym Hiraethog, sylfaenydd *Yr Amserau* ym 1843, 'ond tâl truenus' am ei waith yn golygu'r cylchgrawn:

> trwy yr hwn y deffrodd efe ei genedl o'i chwsg gwleidyddol; a llafur gwirfoddol oedd llafur Dr. Edwards gyda'r *Traethodydd;* ac y mae'n amheus a gafodd Gweirydd [Gweirydd ap Rhys, sef R. J. Pryse] braidd ddim am olygu y *Byd Cymreig.*

A pha mor gyffredin, tybed, oedd profiad Dr. John Thomas, Lerpwl, a ysgrifennodd yn ystod ei oes 'gymaint i'r gwahanol gyfnodolion Cymreig ag a fuasai yn ffurfio naw neu ddeg o gyfrolau mor drwchus â'r Beibl oedd o'i flaen, ac na dderbyniodd geiniog am ei lafur'?

Mewn ymgais i osgoi cyfyngderau ariannol o'r fath, arbrofodd yr enwadau grymusaf drwy sefydlu cwmnïau yn hytrach na dibynnu ar berchenogaeth unigol. Sefydlodd y Wesleaid, er enghraifft, y Gwalia Printing Co. i arolygu trefniadau cynhyrchu *Y Gwyliedydd* a chyhoeddiadau eraill. Gweinidogion yr eglwys oedd ugain y cant o gyfranddalwyr y cwmni ym 1877, ond nid sbecianwyr gwancus oedd y gweddill, yn mentro eu harian ar gyfnewidiadau'r farchnad er mwyn ennill elw. Chwarelwyr oedd un ar ddeg y cant ohonynt ac, ar gyfartaledd, tair cyfran yn unig a oedd yn eiddo i bob buddsoddwr. Bu *Y Tyst*, ym 1893, yn eiddo i ddeunaw gŵr, pymtheg ohonynt yn weinidogion yr enwad a'r rhelyw yn bregethwyr lleyg. Nid cwmnïau arferol oedd y rhain, felly, ond dull i ysgafnhau'r baich cyllidol a gweinyddol a ddibynnai yn bennaf ar gydweithrediad a chymorth ariannol aelodau'r enwadau. Ymhlith y manteision eraill a ddeilliai o gysylltu cyhoeddiad cyfnodol ag enwad oedd rhwyddineb casglu newyddion, y gallu i alw ar gyfranwyr di-dâl, a pharodrwydd rhwydwaith o weinidogion a chynulliadau'r ffyddlon trwy Gymru gyfan i ddosbarthu copïau. Yr oedd cyfeillion yr enwad, drwy gymryd copi yn rheolaidd, yn gwarantu incwm cyson i'r cyhoeddwyr, ac ar ddiwedd y 1870au anfonid hanner cylchrediad cyfan *Y Tyst* (sef 2,250 y flwyddyn) drwy'r post i danysgrifwyr, hynny er lles mawr i'w mantolen banc. Ond dylid cofio mai ymdrech i geisio goroesi oedd y rhain yn hytrach na modd i gyfoethogi unigolyn neu garfan. Y bwriad cyson oedd atgyfnerthu ffydd y selogion a throi'r gweddill i gyfeiriad corlan yr achos. Yn y gwaith hwn, nid llwyddiant masnachol sy'n nodweddu gwasg enwadol Cymru yn gymaint â hunanaberth glew ei golygyddion ymrwymedig.

Er bod ei neges ysbrydol yn aml yn aruchel a soniarus, llithrai rhethreg y wasg Anghydffurfiol yn anochel i fyd gwleidyddiaeth ac i ymrafaelion a materion seciwlar y byd halogedig oedd ohoni. Yn hyn o beth gellid ystyried y papurau enwadol yn berthnasau agos i'r wasg Ryddfrydol a ddatblygodd yn gyflym ar ôl 1855. Unwaith yn rhagor, gweinidogion yr eglwysi Anghydffurfiol, deallusion cynhenid Cymru'r ganrif ddiwethaf, oedd y tu cefn i amryw o'r cyhoeddiadau hyn. Y mwyaf adnabyddus, wrth gwrs, oedd y Parch. Thomas Gee, argraffydd llewyrchus o Ddinbych a pherchennog a sylfaenydd *Baner ac Amserau Cymru*, papur newydd Cymraeg mwyaf dylanwadol ei ddydd. Ond yr oedd amryw o rai eraill nad oeddynt yn cynrychioli enwad mewn unrhyw ffordd uniongyrchol. Un ohonynt oedd John Gibson, perchennog a golygydd miniog y *Cambrian News* yn Aberystwyth, a gŵr a lynodd wrth ethos, os nad wrth bob un o bolisïau, y Blaid Ryddfrydol, yn arbennig o dan arweinyddiaeth W. E. Gladstone. Enghraifft arall yw'r garfan ddisglair a fu'n gyfrifol am bapurau *Y Genedl Gymreig* ac *Y Werin* yng Nghaernarfon yn y degad rhagorol hwnnw, y 1890au. Yn eu plith yr oedd gwŷr athrylithgar fel Beriah Gwynfe Evans, J. O. Jones (Ap Ffarmwr), W. J. Parry, Dr. E. Pan Jones, a'r 'Baptist bach' ei hun, David Lloyd George. Wrth gadw'r ddysgl yn wastad rhwng y gwahanol enwadau, gobeithient dynnu sylw pob Cymro a Chymraes, o ba eglwys bynnag y deuent, at anghyfiawnder y degwm a gormes y tirfeddianwyr. Ganrif yn ôl, y rhain oedd y magnelau mawrion a oedd yn tanio eu hergydion yn ddidrugaredd at gaerau'r Sefydliad. Lladmeryddion yr oruchafiaeth Ryddfrydol-Anghydffurfiol Gymreig oeddent, yn gwyntyllu credoau sylfaenol yr ideoleg rymus honno. Diolch yn rhannol i ddyfalwch papurau o'r fath, ynghyd â gwasanaeth diwyd eu gohebwyr, tynhaodd gafael hegemonaidd y Blaid a'i hegwyddorion dros fröydd Cymru.

Un mesur o lwyddiant herfeiddiol y papurau hyn oedd yr ymateb brawychus a gaed i'w hymgyrchoedd ymhlith rhai o dirfeddianwyr a diwydianwyr Cymru. Ofnent yn

ddirfawr fod yr arweinyddiaeth a geid yn y wasg Gymraeg
yn arbennig yn tywys tenantiaid a gweithwyr ar hyd
llwybrau dichellgar a therfysglyd sosialaeth. Ym mis
Tachwedd 1887, yng nghanol trafferthion y degwm,
paratôdd cymdeithas gyfrin a adwaenid fel y North Wales
Property Defence Association adroddiad ar weithgareddau
honedig papurau Rhyddfrydol y gogledd. Ynddi cyhudd-
wyd papurau fel *Baner ac Amserau Cymru, Y Genedl
Gymreig* a'r *Werin* o bob math o ddrygioni, gan gynnwys
y canlynol (yn iaith wreiddiol dogfen gyfrinachol Cym-
deithas Amddiffyn y Tirfeddianwyr):

> It is most important that serious attention should
> be called to the dangerous and insidious teachings
> and doctrines of the Welsh press, that is the papers
> published in the Welsh language. The majority of
> these papers are, and have been, for a long time
> poisoning the minds of the ignorant Welsh people
> with the most Revolutionary, Socialistic and
> Communistic doctrines it is possible to imagine;
> often as revolutionary and disloyal as anything in
> the Irish press, and rather more Communistic . . .
> By such means class hatred and war against
> property is being stirred up.

Mae'n bur debyg mai gŵr o'r enw J. E. Vincent,
gohebydd y *Times* a chynghorydd cyfreithiol yr Arglwydd
Penrhyn, oedd awdur y geiriau syfrdanol hyn. Er bod y
chwilen a oedd ganddo yn ei ben ynglŷn â'r wasg
Ryddfrydol Gymraeg wedi ei gamarwain yn ddifrifol, a
bod ei argyhoeddiad fod gwynt comiwnyddiaeth chwyl-
droadol yn chwythu drwy ddyffrynnoedd Gwynedd yn
rhagfarnllyd a di-sail, mae'r ddogfen gyfrinachol hon o
leiaf yn dadlennu helaethrwydd a dyfnder ofnau'r sawl a
ddioddefai yn gyhoeddus ddigofaint Thomas Gee a'i
gynghreiriaid. Yr oedd Vincent yn gorliwio, bid sicr, ond
rhoddodd fynegiant i bryder a oedd yn ddilys a chyffred-

inol ar y pryd, sef bod yr arweinyddiaeth gymdeithasol a geid yn y wasg Ryddfrydol wedi taro deuddeg ymhlith y bobl gyffredin. Ailadroddodd ei haeriadau mewn erthyglau yn y *Times* a, thrwy'r Arglwydd Penrhyn, gerbron y Comisiwn Brenhinol ar Dir yng Nghymru ym 1893. Tanseiliodd y papurau Cymraeg amryw o'i ddaliadau drwy gyhoeddi a gwawdio ei wallau ffeithiol, ond at ei gilydd derbyniodd eu golygyddion ei eiriau nid ag edifeirwch ond, i'r gwrthwyneb, â gorfoledd, gan eu hystyried yn ganmoliaeth ar ac yn gyfiawnhad dros eu gweithgareddau newyddiadurol. Yr oedd dicter y tirfeddianwyr wedi porthi hunanhyder eu gelynion pennaf!

Gwnaeth sawl carfan arall ymdrech i hysbysu ac arwain y cyhoedd Cymreig, ond nid â'r un mesur o egni ac ystwythder â'r wasg Ryddfrydol-Anghydffurfiol. Er enghraifft, cyffrous, ond byr, fu gyrfa gwasg y dosbarth gweithiol, ynghyd â'r papurau eraill a gofleidiodd achos y mudiad llafur. Methiant fu *Y Gweithiwr* radicalaidd ym Merthyr ym 1834, a gorfu i Josiah Thomas Jones, Aberdâr, ddod ag *Y Gweithiwr* ef i derfyn ymhen dwy flynedd i'w gychwyn ym 1858. Parhaodd *Amddiffynydd y Gweithiwr* J. T. Morgan am dair blynedd yn ystod y 1870au cynnar, tra goroesodd *Tarian y Gweithiwr*, neu *Y Darian* fel y'i hadwaenid yn ddiweddarach, o 1875 hyd 1934, a *Llais Llafur*, dan olygyddiaeth gynnar a chelfydd Ebenezer Rees, Ystalyfera, o 1898 hyd 1927, pan lyncwyd ef gan y *South Wales Voice*. Ni fu lladmeryddion Eglwys Loegr yn dawedog ychwaith, fel y dengys ysgrifau dadleuol Brutus yn *Yr Haul* yn y 1830au a'r 1840au, neu amddiffyniad taer yr Eglwys Sefydledig gan Ddeon Bangor ac eraill yn *Y Dywysogaeth* ac *Y Llan*. Cynddeiriogwyd Ceidwadwyr Cymru yn ogystal gan y negeseuon gelyniaethus a arllwysai o weisg y Rhyddfrydwyr Anghydffurfiol, ac ar ôl eu maeddu yn Etholiad 1880, trodd strategwyr y Blaid Geidwadol eu sylw at gyflwr truenus y wasg Dorïaidd leol ledled Prydain. Yng Nghymru, cafodd rhai o'r papurau a

Y CHWARELWR

Newyddiadur ac Amddiffynydd y Gweithiwr Cymreig.

PRIS—CEINIOG.

Cyhoeddir ef yn awr DYDD MAWRTH yndbymthegnosol : ond ar flurfiad y Cwmni, daw allan yn wythnosol, os bernir hyny yn well.

RHAGLEN.

Y mae "Y CHAWRELWR" wedi gwneyd ei le yn mysg Newyddiaduron Cymru Y mae y derbyniad a roddir iddo gan yn agos i Dair Mil o'r dosbarth mwyaf meddylgar a choethedig, yn ddatganiad clir nad traws-ymwthiwr dialw am dano ydyw, ond fod ganddo ei le a'i waith priodol ei hun.

Y mae ei enw yn ddangosiad clir i bwy yn benodol y perthyna; wrth gwrs y mae hyn yn cynwys pob dosbarth arall sydd a fynont a chwarelyddineth ; oblegid hanfidion y Chwarelwr yw yr oll eraill; nis gallant hwy wneyd dim hebddo ef ; ond mor wir a hyny, nis gall yntau wneyd dim heb dynt hwythau, felly mae "Y CHWAR-KLWR" yn amddiffynydd y chwarelwr, crogiwr, y labrgroigiwr, y miner, y labrwr, a'r gofaint,—pob dosbarth o'r mwyaf hyd y lleiaf yn y llwythau.

fu'n gysylltiedig â Cheidwadaeth, megis y *North Wales Chronicle*, a sefydlwyd ym Mangor ym 1807, neu'r *Western Mail*, a lansiwyd gan Ardalydd Bute yng Nghaerdydd ym 1869, lwyddiant ysgubol sydd wedi parhau i raddau hyd heddiw. Ond ni fu eraill mor ffodus. Er iddo gyfrannu tair mil o bunnau dros gyfnod o bum mlynedd at ei gynnal, methodd Syr Watkin Williams Wynn achub ei bapur lleol Torïaidd, y *Wrexham Guardian*, rhag marwolaeth ddisyfyd ym 1878. Nid oedd arian parod noddwyr cyfoethog ac ymroddgar ynddo'i hun yn fformiwla digonol bellach i warantu llewyrch unrhyw bapur nac i'w gysgodi rhag canlyniadau anorfod a thrychinebus y twf cynyddol mewn costau cynhyrchu. Yn ystod y nawdegau daeth yn amlwg mai'r papurau masnachol dyddiol fyddai'r buddugwyr yn y ganrif newydd, a rhai Saesneg oeddynt hwy bob un. Yr oedd cydbwysedd y wasg yng Nghymru wedi gweld newid sylweddol erbyn diwedd y Rhyfel Byd Cyntaf, a phapurau a apeliai at gynulleidfaoedd eang ac amrywiol a enillodd y dydd dros enwadaeth esblyg cyfnodolion y ganrif flaenorol. Yn eu tro gorfu iddynt hwythau addasu eu harddull a'u cynnwys i gydymffurfio â gofynion dulliau cyfathrebol y ganrif newydd, sef radio, ffilm ac, yn bennaf oll, y teledu a'r cyfrifiadur.

Wrth edrych yn ôl (o safbwynt byd electronaidd y 1980au) dros hanes gwasg a oedd mor amlochrog a phleidgar â hon, anodd yw dychmygu natur ei harwyddocâd yn y gymdeithas Gymreig yn y blynyddoedd cynhyrfus hynny cyn iddi edwino. Ar sail y dystiolaeth a ystyriwyd uchod, gellir mentro dweud tri pheth cyffredinol am gymeriad yr arweinyddiaeth a roddid ganddi. Yn gyntaf, bu'n gyfrwng heb ei ail i daenu propaganda. Dywedwyd droeon mai propaganda yw pennaf swyddogaeth y wasg ym mhob gwlad ac ym mhob cyfnod. Felly yn wir yr oedd yng Nghymru. Ond propaganda ydoedd yn ystyr wreiddiol y gair, yn hytrach na'r ystyr sy'n cael ei gysylltu heddiw â'r modd y mae gwleidyddion ffiaidd y byd modern yn twyllo ac yn trin eu pobl. Pwrpas propaganda yw anfon neges, lledaenu gwybodaeth, neu hysbysu er mwyn dwyn perswâd ar eraill, ac yn hyn o beth y mae ei bresenoldeb yn dynodi diwylliant byw a deinamig. Mae'n amlwg iawn fod golygyddion a gohebwyr y papurau pleidiol wedi gwneud eu gorau glas i ddylanwadu ar ddigwyddiadau eu hoes: i ennill etholiad, pasio mesurau deddfwriaethol, amddiffyn egwyddorion crefyddol neu wleidyddol, neu gyfrannu at ddadleuon diwinyddol ac athronyddol. Gan mai eu bwriad oedd rhoi cyhoeddusrwydd i ddaliadau arbennig a chynnig gogwydd neilltuol ar y byd, ymosodent yn ddidrugaredd ar ei gilydd. Amcan eu propaganda egnïol yn ddiamau oedd arwain y Cymry, a phwy bynnag arall a oedd yn digwydd gwrando, i gyfeiriad 'gwirioneddau mawr' eu hamryfal weledigaethau.

Bu'r swyddogaeth hon o bwys mawr, yn enwedig i'r golygyddion a'r gohebwyr eu hunain. Dyma'r gwaith hanesyddol yr oeddynt hwy yn credu eu bod yn ei gyflawni, ac yr oedd y gred yn ddigon nerthol i gyfiawnhau eu haberthu di-baid. Ond yr oedd swyddogaeth arall i'w gwaith, a gyfrifid y tu hwnt i flaenoriaethau tactegol y pleidiau a'r enwadau, a thu hwnt i'w dirnad hefyd, efallai. Tra oeddent hwy, yn nhymestl eu hoes, yn gweld yn glir yr elfennau a'r egwyddorion a oedd yn eu gwahanu, gallwn ni, sy'n dechrau ein hymholiadau o safbwynt tra gwahanol, sylwi ar yr hyn a oedd yn eu huno. Ar ôl i sŵn yr ymgiprys pleidiol dewi, gellid clywed lleisiau mwy persain yn codi, sy'n arwydd o'r ffaith fod arweinyddiaeth gymdeithasol o reng wahanol wedi bod ar waith yng Nghymru yn y blynyddoedd hyn. Oherwydd wrth roi o'r neilltu am y tro y 'gwirioneddau mawr' bondigrybwyll, ymddengys fod papurau o bob lliw gwleidyddol a chrefyddol yn ymdebygu i'w gilydd yn y modd yr oeddent yn cyfrannu at gorff o lenyddiaeth a oedd yn ei hanfod yn neilltuol Gymreig.

24   Thomas Gee (1815-98), yr athrylith newyddiadurol a pherchennog
Baner ac Amserau Cymru, papur newydd Cymraeg pwysicaf y
bedwaredd ganrif ar bymtheg.

Ceid mewn papurau mor wahanol i'w gilydd â'r *Faner*, y *Cambrian News* a'r *Western Mail* amryw o elfennau a fu'n hybu Cymreictod yr oes, gan gynnwys gwybodaeth am eisteddfodau, tudalennau dirifedi o farddoniaeth, ac erwau o sylwebaeth ar gyflwr a dyfodol llenyddiaeth Gymraeg. Cafwyd ymateb gwresog ymhlith y darllenwyr, er enghraifft, i dwf y nofel Gymraeg, o leiaf ar ôl Mai 1890 pan gyhoeddwyd pennod gyntaf *Profedigaethau Enoc Huws* ym mhapur wythnosol Llyfrbryf (Isaac Foulkes), *Y Cymro*. Mae'n amlwg fod sawl cymhelliad dros ddarllen, dyweder, bapur newydd, a gall y rhain fod yn dra gwahanol i ddisgwyliadau'r golygyddion. Ymddengys hefyd fod nifer helaeth o bobl yn darllen amryw o bapurau gwahanol yn rheolaidd, ac felly yn cael blasu mwy nag un gogwydd pleidiol. Byddai rhagor o astudiaethau lleol yn goleuo natur y dewis a oedd yn wynebu darllenwyr, megis ym Merthyr yn ystod Etholiad 1874, neu yng Nghaernarfon ym mwrlwm mudiad Cymru Fydd, a'r modd yr oedd gwahanol bapurau yn diffinio problemau'r dydd ac yn cydweithredu â'i gilydd i lunio agenda, er enghraifft, ar gyfer gwleidyddiaeth leol. O'r herwydd, dylid ystyried arwyddocâd y wasg yn ei chrynswth yn ogystal ag yn ei hagweddau penodol, hynny yw, fel corff o lenyddiaeth yn ogystal ag fel cruglwyth o fân ddadleuon.

At y llenyddiaeth gyfnodol hon y cyfeiriodd Glaslyn mewn erthygl a gyhoeddwyd yn *Cymru* O. M. Edwards ym mis Ionawr 1907. Taerodd ynddi mai cynnyrch diwylliannol oedd cenedl y Cymry; cyflwr meddyliol a chymdeithasol a all oroesi yn unig drwy sicrhau fod llenyddiaeth gref a phoblogaidd yn parhau i'w harddel. Aeth yn ei flaen:

> Llenyddiaeth sydd wedi ein gwneud yn genedl, ac nid yn ronynau gwasgaredig a diystyr fel y mynnai y Saeson ein bod; ac i lenyddiaeth yr ydym yn ddyledus ein bod erbyn hyn yn genedl unol, wedi ein crynhoi tu fewn i'r cylch cenedlaethol.

Gan mai'r wasg gyfnodol oedd wedi rhyddhau llenyddiaeth o afael cyfyngedig yr 'urdd offeiriadol' ac wedi ei rhoi yn nwylo'r bobl gyffredin, y wasg oedd prif geidwad cenedligrwydd Cymru. Dyletswydd wladgarol, felly, oedd cyfrannu at a chefnogi'r cylchgronau a'r papurau, fel y gwnaeth ef ei hun mor hael ar hyd ei oes. 'Gan fod llenyddiaeth yn meddu y fath ddylanwad ar fywyd y bobl', ymresymodd, 'y mae o'r pwys mwyaf i bob Cymro sydd yn caru dyrchafiad ei genedl wneud ei ran yn ddirgel a chyhoeddus dros lenyddiaeth Gymreig . . . Mae dyfodol Cymru yn y botel inc.' Her ddiamheuol oedd y frawddeg olaf, erfyniad hen ŵr (fe'i ganwyd ym 1831) ar y to ifanc i fynd ati i ysgrifennu er mwyn sicrhau dyfodol i'w cenedl.

Yn olaf, enynnodd y wasg gyfnodol ymateb brwd a gweithredol ymhlith ei chynulleidfa. Trwy roi gofod i lythyrau ac erthyglau gohebwyr amatur neu ran-amser rhoddid meithrinfa wych i sawl cenhedlaeth o ysgrifenwyr ifainc a ysgogid nid gan yr ysgolion (nid oedd addysg Gymraeg i'w chael ar y pryd), ond gan esiampl gohebwyr eraill. Gorfu i'r iaith Gymraeg a'i chystrawen addasu i'r newid a fu yn y ffurf newyddiadurol, ac o ganlyniad ymddangosodd cenhedlaeth newydd o ohebwyr ac awduron a oedd yn ystyried y byd modern drwy lygaid Cymreig a Chymraeg. Ond bu'r wasg yn fwy na llwyfan i'r deallusion; bu hefyd yn ddosbarth ysgol, yn llyfrgell, ac yn lolfa i filoedd o ddarllenwyr. Hyd yn oed ymhlith y rhai na feddai ar ddawn lenyddol, gallai cynnwys y cyfnodolion addysgu neu gychwyn trafodaethau a dadleuon yng Nghymru'r capeli fel yng Nghymru'r tafarndai. Yn aml, gwnâi darllenwyr drefniadau lleol er mwyn sicrhau copïau o'u hoff gyfnodolion, a sefydlent gymdeithasau a chanolfannau arbennig lle y gallent eu darllen mewn heddwch. Yn yr ystyr hon, gallai darllen y wasg Gymreig fod yn weithred gymunedol ac yn un o ddyletswyddau'r dinesydd modern.

Ymddengys, felly, fod gan ragdybiaeth E. Morgan Humphreys ynglŷn â dibyniaeth cenedligrwydd ar wasanaethau amrywiol y wasg gyfnodol seiliau hanesyddol cadarn. Cyflawnodd y wasg hon sawl swyddogaeth gymdeithasol bwysig yng Nghymru adeg oes Fictoria. Yn gyntaf, cynigiodd ddewis eang o gyfeiriadau gwleidyddol a chrefyddol. Yn ail, trwy alluogi corff o lenyddiaeth Gymraeg i dreiddio drwy'r gymdeithas, hyrwyddodd hunaniaeth genedlaethol ymhlith y Cymry. Ac yn olaf, drwy symbylu ymateb gweithredol ymysg y darllenwyr, darparodd addysg mewn egwyddorion a dulliau dinasyddiaeth gyfoes. Gyda llawer o wroldeb, ac ambell enghraifft o fyrbwylltra, rhoddodd golygyddion a gohebwyr y wasg Gymreig yn y bedwaredd ganrif ar bymtheg arweinyddiaeth gadarn ac adeiladol i'w cymdeithas. A thrwy ein hatgoffa ein hunain am y cyfraniad allweddol hwn i greu'r Gymru fodern, gallwn ninnau sicrhau nad ofer fu eu llafur.

DARLLEN PELLACH

Picton Davies, *Atgofion Dyn Papur Newydd* (Lerpwl, 1962).

E. Morgan Humphreys, *Y Wasg Gymraeg* (Lerpwl, 1945).

Aled G. Jones, *Cymru a Hanes y Papur Newydd* (Caernarfon, 1987).

Iorwerth Jones, *David Rees, Y Cynhyrfwr* (Abertawe, 1971).

T. Gwynn Jones, *Cofiant Thomas Gee* (Dinbych, 1913).

R. Buick Knox, *Wales and 'Y Goleuad'* (Caernarfon, 1969).

Thomas Parry, *Hanes Llenyddiaeth Gymraeg hyd 1900* (Caerdydd, 1945).

R. D. Rees, 'South Wales and Monmouthshire Newspapers under the Stamp Acts', *Cylchgrawn Hanes Cymru*, 1 (1962).

C. Tawelfryn Thomas, *Cofiant Ieuan Gwynedd* (Dolgellau, 1909).

G. J. Williams, *Y Wasg Gymraeg Ddoe a Heddiw* (Y Bala, 1970).

HENRY RICHARD
AC IAITH Y GWLEIDYDD YN Y
BEDWAREDD GANRIF AR BYMTHEG

Ieuan Gwynedd Jones

Nyni, nid chwychwi, biau'r wlad hon, a'n braint ni yw bod ein hegwyddorion a'n dyheadau yn derbyn clust a chynrychiolaeth yn Nhŷ'r Cyffredin.

Henry Richard

Un o broblemau astudio etholiadau lleol a seneddol y ganrif ddiwethaf yng Nghymru, fel y gŵyr yr ymchwilydd cyfarwydd, yw penderfynu pa iaith a ddefnyddid i gyfathrebu â'r cyhoedd. Beth oedd dewis iaith y gwleidydd? Gwaetha'r modd, annelwig, at ei gilydd, yw tystiolaeth y ffynonellau y byddid yn disgwyl pwyso arnynt. Naill ai Cymraeg neu Saesneg yn gyfan gwbl oedd papurau newyddion a chylchgronau'r cyfnod, gyda nemor o ddim yn ddwyieithog, ac yn iaith y papur neu'r cylchgrawn ei hun bron yn ddieithriad y cyhoeddid adroddiadau ar areithiau ac anerchiadau, llythyrau gohebwyr, a phob math arall o ddeunydd a hysbysrwydd a berthynai i ymgyrchoedd lecsiwn. Weithiau, mae'n wir, deuir ar draws llythyr neu ddatganiad Cymraeg mewn papur Saesneg; dro arall—ond nid mor aml o bell ffordd—ceid llythyr neu ddatganiad Saesneg mewn papur Cymraeg. Fe ymddengys mai dim ond anerchiadau'r ymgeiswyr sydd ar gael yn y ddwy iaith fel ei gilydd. Ar brydiau, a hynny fwyfwy yn ail hanner y ganrif, ceir gohebydd yn ychwanegu'r wybodaeth fod anerchiad wedi ei draddodi yn y naill iaith neu'r llall, neu ynteu yn y ddwy am yn ail, neu wedi ei drosi. Dro arall, dyfynnir union eiriau'r siaradwr, a hynny'n bennaf er mwyn osgoi amwysedd neu gamddealltwriaeth, ond o bosibl hefyd am nad oedd y gohebydd ei hun wedi deall union ystyr yr hyn a glywsai. Gwendid amlwg arall yn y Gymraeg oedd y chwiw o gynnwys cyfystyron Saesneg mewn cromfachau fel math o nodiadau esboniadol er hwylustod i'r darllenydd. Teg gofyn beth oedd y rheswm am yr amrywiol ddulliau hyn o newyddiadura, yn enwedig o gofio mai anaml y digwyddai hynny ym mlynyddoedd cynnar y ganrif. A oes a wnelo'r arferion â natur gwleidyddiaeth ar y pryd, neu â lefel addysg wleidyddol neu ynteu ai arwydd ydyw o

119

snobyddiaeth, gydag awgrym gan awdur yr adroddiad ei hun ei fod ef yn ŵr mwy goleuedig na'i ddarllenwyr?

Gellir holi hefyd a yw cynnal trafodaeth fel hon o unrhyw fudd? Ydyw, i'm tyb i, oherwydd y mae'n gymorth inni ddeall yn union beth y byddid yn ei ddweud mewn lecsiynau a sut y byddid yn ei lefaru, ac yn ein cynefino'n fras â rhethreg ymadroddi, hynny yw ansawdd yr iaith a ddefnyddid i drin gwleidyddiaeth, yr iaith y byddid yn ei chlywed a'i siarad mewn lleoedd penodol ac ar adegau arbennig. Ac os yw'r ffynonellau'n gywir, a ninnau'n fodlon gwrando ar yr iaith yn ofalus a diragfarn, y mae gobaith dod o hyd i fwy nag un awgrym gwerthfawr ar syniadau a gwerthoedd y dydd. Ond po fwyaf y bo dwy iaith ar arfer ochr wrth ochr, a'r newid o'r naill i'r llall yn naturiol a diymdrech, anoddaf yn y byd yw'r astudiaeth. Yr oedd llawer iawn o waith cyfieithu gydol yr amser; sut, er enghraifft, y byddid yn mynd i'r afael yn feunyddiol â'r gwaith poenus o drosi adroddiadau meithion? Pwy oedd yn cyfieithu mewn cyfarfodydd cyhoeddus? I ba raddau yr oedd y trosiadau yn well neu'n salach na'r gwreiddiol? Y mae'n deg casglu, fel rhan o'r atebion, fod y gohebwyr at ei gilydd yn ddwyieithog, er na ellir honni hynny i sicrwydd. Ar y llaw arall, y mae lle i gredu fod ambell aelod o staff papurau Saesneg fel y *Cardiff and Merthyr Guardian* neu'r *Western Mail* yn gwbl ddi-Gymraeg, ac felly'n tueddu yn ôl pob tebyg i gofnodi dim ond prin hanner yr hyn a ddywedid mewn cwrdd dwyieithog, heb fedru barnu safon y trosi gan y siaradwr ei hun wrth iddo symud o'r naill iaith i'r llall. Yng ngoleuni hyn, mae'n deg holi ymhellach beth oedd yn digwydd wrth ford olygyddol y papurau? Pwyso ar ohebwyr lleol y byddai'r papurau taleithiol, a'u hadroddiadau hwy o'r herwydd yn galw am gryn olygu yn y swyddfa, ond ym marn y dosbarth gweithiol nid oedd yr wythnosolion cydnabyddedig yn ddibynadwy nac yn ddiduedd, a'r diffyg ymddiriedaeth yma sydd i gyfrif bod yn well gan ddarllenwyr droi at bapurau Cymraeg lleol wedi eu golygu a'u cyhoeddi gan wŷr o ddaliadau cyffelyb iddynt hwy eu hunain. Ond y mae mwy na hyn i'w ganfod yn y ffordd o gyfathrebu mewn byd dwyieithog: sut, er enghraifft, y byddai gwleidyddion ac eraill a ffurfiai farn y cyhoedd yn mynd ati i greu un ymwybyddiaeth boliticaidd drwy gyfrwng y Gymraeg a'r Saesneg, er bod i'r ddau ddiwylliant gefndir gwahanol iawn i'w gilydd?

Yng nghanol y ganrif ddiwethaf, pan oedd pobl yn fwyfwy ymwybodol o'r newid cyflym yn eu hamgylchfyd, yr oedd bodolaeth y ddwy iaith yn ei gwneud hi'n anodd iawn i ffurfio meddylfryd gwleidyddol unedig. O ystyried y broblem hon, efallai yn wir fod Cymry wedi treulio gormod o'u hamser yn astudio dirywiad Rhyddfrydiaeth a rhy fach ar gychwyn a thwf y mudiad. Un o'r anawsterau a godai yn sgîl bodolaeth dwy iaith oedd cyfnewid syniadau ar draws ffiniau iaith ac economeg, rhwng ceidwadaeth cefn gwlad ar y naill law a blaengarwch byd masnach a diwydiant ar y llall. Dryswch pellach, fel yr awgrymwyd eisoes, oedd cymhwyso'r strwythur boliticaidd i ateb i'r amgylchiadau hen a newydd a geid yn y drefn gymdeithasol.

Y mae'r problemau hyn yn amrywio mwy nag sy'n amlwg ar yr olwg gyntaf, a hynny am fod cydberthynas y ddwy iaith yn newid yn barhaus. Newid, er enghraifft, o ran niferoedd. Ar y dechrau, gyda thwf y boblogaeth a'r rheidrwydd i ymfudo o'r wlad i'r gweithfeydd, y duedd oedd chwyddo yn hytrach na theneuo poblogaeth Gymraeg y cymoedd, a'r Cymry eisoes yn y mwyafrif yno. Mewn gwirionedd, hyd at chwarter olaf y ganrif o'r blaen ychydig o Saeson a oedd wedi ymsefydlu yng Nghymru, ac at ei gilydd ni fu ffordd o fyw a diwylliant y brodorion fawr o dro yn eu llyncu. Dibynnai'r broses o ran cyflymdra ar bwy oedd yr ymfudwyr eu hunain, eu statws (neu eu statws dybiedig hwy) mewn cymdeithas, a natur y gymdeithas yr aent iddi. Ond pa mor fuan a olygir wrth yr

ymadrodd 'fawr o dro'? A beth oedd dylanwad y newydd-
ddyfodiaid ar batrwm bywyd ardaloedd eu mabwysiad?
Cyn ceisio manylu ar yr ateb rhaid ailbwysleisio bod nifer
y Cymry Cymraeg yn cynyddu fel y cynyddai'r boblog-
aeth, a rhaid cofio hefyd mai'r Gymraeg, fel y sylweddolid
yn glir ar y pryd, oedd iaith y mwyafrif. Gyda thwf
democratiaeth wleidyddol dyma wirionedd na allai'r un
gwleidydd fforddio ei anwybyddu.

I gymhlethu'r sefyllfa, yr oedd cydberthynas y ddwy
iaith o ran nifer eu siaradwyr yn amrywio o ardal i ardal ac
o adeg i adeg. Mewn rhai rhannau o'r wlad, megis
Gwynedd a meysydd llewyrchus y glo carreg yn y de, nid
oedd fawr o amrywiaeth i sylwi arno na dim perygl i bob
golwg i flaenoriaeth y Gymraeg. Yn y dwyrain, fodd
bynnag, yr oedd yr ymseisnigo ar gerdded, weithiau'n llifo
fel môr drwy'r cymoedd ond gan amlaf yn ymdreiddio'n
dawel a diymatal ar draws gwastatir y gororau. Yn hanner
cyntaf y ganrif prin fod neb yn ystyried fel yr oedd cyflwr
y Gymraeg yn newid—yn wir, o'r braidd y gellid beio neb
am dybio ar y pryd mai ennill tir yr oedd hi yn hytrach nag
encilio dan bwysau'r llanw Seisnig. Hawdd gweld, er
enghraifft, fel yr oedd diwydiant yn ymledu i'r gogledd-
ddwyrain a'r de-ddwyrain, fod y Gymraeg hithau ar i fyny
yn y trefi a'r pentrefi newyddion. A dyna ogledd Gwent,
wedyn, ers cenedlaethau yn gwbl Saesneg ond erbyn
blynyddoedd cynnar y ganrif wedi troi'n Gymraeg o ran
iaith a diwylliant. Proses cymhleth a dyrys ydoedd i'r
sawl a'i profodd, yn enwedig o sylweddoli fod cyfrwng
diwylliant a chydbwysedd y ddwy iaith o'u cwmpas yn
dibynnu ar ddylanwadau na allent hwy mo'u deall nac
ychwaith mo'u hosgoi. Yn y broses o ddiwydiannu
sefydlid pyllau glo a gweithfeydd haearn a oedd yn denu
nid yn unig Gymry Cymraeg ond hefyd rai Saeson. Er nad
oedd y Saeson mor niferus â'r Cymry roeddent yn dal
swyddi mwy cyfrifol na'r Cymry; y Saeson oedd y

cyfalafwyr, y meistri, a'r arbenigwyr mewn technegau cynhyrchu. Beth, felly, yn ymarferol oedd ffrwyth yr ymgymysgu hwn? Yn sicr, er y dechrau nid hollti'r ddwy iaith a charfanu'r boblogaeth (er i hynny ddigwydd yn nes ymlaen), ond yn hytrach magu math o gymdeithas unol ddwyieithog, gyda'r Cymry yn deall digon o Saesneg i'w defnyddio at rai amcanion penodol, a'r Saeson hwythau â chrap ar y Gymraeg. Felly, o achos cyflwr ac amrywiaeth diwydiant, a'r mynd a dod a ddilynai yn sgîl hynny, yr oedd hi'n aml yn anodd casglu yn unman ai'r Gymraeg ynteu'r Saesneg oedd ar y blaen. Yr oedd y sefyllfa'n gallu newid yn sydyn gyda llanw a thrai y mewnfudo. A thu cefn i'r ardaloedd cyfnewidiol hyn o ddwyieithrwydd dylem gofio bod ffrwd barhaus o ymfudwyr cefn gwlad yn aros wrth law i ehangu ac adfywio a chyfoethogi Cymreigrwydd y gweithfeydd. O ganlyniad, nid newid buan oedd y Seisnigo: yn y trefi marchnad yn unig yr oedd effaith dylanwadau'r dydd i'w theimlo ar fywyd y trigolion, a hyd y gellir barnu fe lwyddodd hyd yn oed y canolfannau gwyliau a thwristiaeth i wrthsefyll y wasgfa gyfoes arnynt ac i ddiogelu eu safonau a'u patrwm byw. Rhwng y ddwy iaith a'u tiriogaethau, felly, rhwng cynefin yr amaethwr a'r gweithiwr diwydiannol, yr oedd byd o ddieithrwch, a'r cymwynaswr a bontiodd yr agendor oedd yr ymfudwr o Gymro o'r wlad i'r dref. Yn ei achos ef rhaid cofio nid yn unig fod y symud wedi ei drawsnewid ef ond hefyd ei fod yntau wedi trawsnewid ei ail gynefin, a bod hynny wedi esgor ar ddiwylliant cwbl newydd. Ac yr oedd mantais gan y gwleidydd a fedrai ddeall y cyfnewidiadau hyn, neu o leiaf sylweddoli eu bod yn digwydd, sef y fantais i gyfeirio'r broses i gyfeiriadau gwahanol. Oherwydd yr oedd yn meddu ar iaith hollol gymwys at y bwriad.

I egluro'r braslun hwn o gefndir y pwnc y mae'n werth bwrw golwg yn fanwl ar un digwyddiad gwleidyddol arbennig sy'n crynhoi nodweddion na chawsid profiad

ohonynt yng Nghymru o'r blaen ond a dyfodd wedi hynny
yn haen annatod o wleidyddiaeth y wlad. Yr achlysur i'w
drafod yw etholiad seneddol Merthyr Tudful ym 1868,
pryd y dewiswyd Henry Richard (1812-88) am y tro cyntaf
yn aelod o Dŷ'r Cyffredin. (Eleni, wrth gwrs, yr ydym yn
coffáu canmlwyddiant ei farw.) Pe baech chi a minnau
wedi bod yn y man a'r lle, ar Sgwâr y Farchnad, yng
nghanol berw'r enwebu y noson cynt ac wedi edrych o'n
cwmpas a gwrando ar yr areithio, fe fyddem wedi
synhwyro ar unwaith, fel y gwnaeth lliaws ar y pryd yno,
fod canlyniad tyngedfennol ar y trothwy. Ar yr olwg
gyntaf nid oedd hi'n noson mor wahanol â hynny i'r arfer
mewn lecsiynau diwydiannol cyffelyb—yr un dyrfa o
weithwyr a oedd yno â'u bryd ar fwynhau diwrnod o firi,
yr un bloeddio a'r un chwifio baneri—glas, magenta, a
gwyn, a'r un placardau bras ac yn enwedig un o'u plith yn
gweiddi 'Dim Dwylo Brwnt'. Dan yr wyneb, serch
hynny, yr oedd ymdeimlad o ddifrifwch yn meddiannu'r
dorf, y wefr newydd sbon o fod yn rhan o seremoni, ac at
hynny efallai fymryn o ofn aflonyddwch neu hyd yn oed
derfysg, wrth wylio gwŷr y gweithiau haearn o Ddowlais
yn ymlwybro'n rhesi i lawr i'r Sgwâr, dynion Crawshay o
Gefncoedycymer a Georgetown yn llifo dros y Bont
Haearn i ymuno â'r fintai a gerddai i fyny'r cwm o Aber-
cannaid a Thwynyrodyn, a glowyr a gweithwyr haearn
Aberdâr yn heidio i lawr Ffordd Aberhonddu ac o'r trenau
a logwyd yn bwrpasol at y siwrnai—a'r lle rhyngddynt
i gyd yn un crochan cymysg o bobloedd. Ond nid oedd
angen o gwbl i neb yno bryderu am ei einioes oherwydd
am y tro cyntaf yn hanes lecsiynau'r fwrdeistref ni
ddigwyddodd dim cythrwfl, dim meddwi, dim terfysg, a
dim ymosod ar nac eiddo na heddlu. Ac fe fyddai gweld
golygfa heddychlon felly wedi eich taro â syndod o'r
mwyaf, oherwydd yn y dyddiau gynt, a dim ond rhai
cannoedd neu efallai tua mil o'r boblogaeth o 80,000 ar
restr yr etholwyr, ni chynhaliwyd erioed etholiad ym

25 Portread o Henry Richard (1812-88) gan Felix Moscheles.

26   Crud y Chwyldro Diwydiannol oedd Merthyr Tudful ac ni pheidiai'r caledwaith yno.

Merthyr Tudful heb ddrwgweithredoedd a thrais. Y tro hwn, fodd bynnag, a phob penteulu ym Merthyr Tudful ac Aberdâr, gynifer â 14,000 o nifer, â hawl i'r bleidlais, cafwyd etholiad tawel a threfnus, yn union fel yr oedd y Siartwyr wedi proffwydo.

Efallai y byddech hefyd, y noson gofiadwy honno ym Merthyr Tudful, wedi edrych yn fanwl o'ch cwmpas a gweld lle'r oeddech—yng nghanol tref a chadwyn o weithiau haearn yn gylch o'i chwmpas: Dowlais ar y codiad tir yn y pellter a'i anferth o dip beunydd yn arllwys ei fwg, Penydarren islaw ar y llechwedd, Cyfarthfa i'r gorllewin yng nghysgod plasty Crawshay, Ynys-fach y tu cefn, ac i lawr y dyffryn, i gyfeiriad Caerdydd, ehangder Cwmni'r 'Plymouth Iron' a'i gynnyrch, yn ôl pob hanes, yn burach na dim arall o'i debyg drwy'r wlad. Am y Sgwâr ei hun, safle digon di-raen ei bensaernïaeth ydoedd, ar wahân i ryw hanner dwsin o addoldai yn y cyffiniau agos, hwythau o'u cymharu â'u hamgylchedd yn hardd eu hadeiladwaith, clasurol eu llun a'u harddull, heb ffenestr gothig ar eu cyfyl na thŵr na phigyn o fath yn y byd i'w coroni. Yn ogystal â'r capeli yr oedd yr eglwysi plwyf, Santes Tudful â'i thŵr hirsgwar a Dewi Sant newydd uwchlaw. Mwg a gweddi, diwydiant a defosiwn, dyna ichwi Ferthyr Tudful y dydd, a dim byd arall i dynnu sylw ond strydoedd llymion heb orffen eu draenio, odid adeilad trillawr o fewn golwg ond digonedd o deios unllawr ac ambell eithriad deulawr a'i fargodion bron o fewn cyrraedd gŵr talach na'r cyffredin. Er gwaethaf tystiolaeth y llwch a'r mwg i ddiwydrwydd a chyfoeth, lle tlawd oedd Merthyr, heb hyd yn oed un neuadd deilwng wedi ei hagor ar gyfer achlysur gwleidyddol pwysig fel y cwrdd enwebu hwn ym 1868.

O glustfeinio o'ch cwmpas ar y Sgwâr fe fyddech hefyd wedi deall, gyda syndod, mai prif iaith y dyrfa oedd y Gymraeg, hynny wrth reswm gydag amlygrwydd o wahaniaethau lleferydd (neu 'dafodau', chwedl y Cymry

eu hunain): yn ôl y disgwyl, seiniau Morgannwg a
Brycheiniog gerllaw gan mwyaf, y naill heb fod yn an-
nhebyg i'r llall, ond atynt hwy, ac yn tueddu i wasgu at ei
gilydd, leisiau siroedd Caerfyrddin, Ceredigion, a Maldwyn.
I chwyddo'r gymysgedd fe fyddai yno Wyddelod yn
ogystal, a lliaws o Saeson hefyd, hwythau'n bennaf o'r
Gororau ond weithiau o bell. Dwy iaith a rhifedi o
acenion yn dynodi amrywiaeth gwasgarog eu tarddiad.

Y cam nesaf fyddai craffu ar y llwyfan, lle'r oedd y tri
ymgeisydd a'u cefnogwyr a swyddogion yr etholiad wedi
ymgynnull, a'r siarad ar fin cychwyn. O blith y rhain ni
fyddai modd clywed gair o enau Henry Austin Bruce, yr
aelod ar y pryd, gan groched anghymeradwyaeth y dorf.
Am yr ail, Richard Fothergill, digon yw dweud ei fod ef,
hyd yn oed yn ôl safonau ei oes ei hun, yn enghraifft ddi-
ail o'r demagog mwyaf cras. Enwebwyd Henry Richard
gan David Davies, Maesyffynnon, perchennog pwll glo,
yn Gymraeg, gan gloi gyda'r dymuniad: 'Boed i apostol
mawr heddwch fod yn gyfrwng i ddwyn heddwch i
deyrnasu yn eich plith chwithau'. Byrdwn araith Richard
oedd: 'Cofiwch fod llygaid Cymru, a phawb arall sy'n
rhan o'r un frwydr, wedi eu hoelio ar etholwyr Merthyr
Tudful ac Aberdâr, i weld yn sicr eu bod yn cyflawni eu
priod ddyletswydd (cymeradwyaeth faith). Un gair
ymhellach, Nyni biau'r fuddugoliaeth (rhagor o guro
dwylo brwd), ond rhaid ei hennill nid gyda dwrn a
phastwn ond drwy rym egwyddor a rheswm ('clywch,
clywch'). Felly, gyd-wladwyr, peidiwch â chweryla
ymhlith eich gilydd pwy arall i'w ethol yn y lecsiwn yma.
Nid yw'r ymgeiswyr eraill yn werth cynhennu yn eu
cylch ('clywch, clywch' a chwerthin). Brwydr yw'r
eiddom ni heddiw dros wirionedd, dros gyfiawnder, dros
ryddid, a thros heddwch.'

Yn awr, pa mor bell y gellir honni mai rhethreg oedd
llawer o'r math hwn o siarad, a'i fwriad yn ddim ond codi

hwyl a dal ar fantais i gynhyrfu cynulleidfa? Bwriadol ai peidio, yr oedd yr achlysur ei hun, heb sôn am effaith yr araith, yn ddigon i lorio'r gwrandawyr, a hwythau, fel yr amcangyfrifwyd yn dra anfanwl, yn rhifo rhwng deng a phymtheng mil. At hyn dylid cofio nad oedd Henry Richard ar ei orau yn siarad yn fyrfyfyr; ond yn ôl un sylwebydd gallai droi dail ei araith mor gelfydd fel na fedrai neb braidd sylwi ar y weithred. Sut bynnag, huawdl ai peidio, beth yn fanwl oedd y frwydr y mynnai ef o hyd eu bod yn ei hymladd? Ai gwag ymffrost ei eiriau? Nage, i'm tyb i, oherwydd yr oedd corff ei wrandawyr erbyn dydd yr etholiad eisoes wedi clywed ei anerchiad swyddogol a'i farn bwyllog ar holl agweddau'r ymgyrch. Yr oedd yr anerchiad hwnnw wedi ei draddodi y noson cyn yr enwebu, yn Aberdâr, a'r un daliadau wedi eu cyflwyno a'u helaethu a'u trafod mewn cwrdd cyhoeddus enfawr ar y mynydd gerllaw Hirwaun, rhwng Aberdâr a Merthyr Tudful, mewn math o gynulliad awyr-agored ac yn yr union fan yr hoffai glowyr y cylch leisio eu cwynion ar adegau o anghydfod. Aelodau gweithgar yn eu heglwysi, mae'n sicr, oedd trwch ei gynulleidfa, a'r gweddill gan mwyaf yn dal rhyw fath o afael ar draddodiad crefydd y cymoedd. O'r herwydd, nid oedd yno neb yn eu plith heb fod yn ddigon cyfarwydd â'i syniadau. Gwyddai pawb ohonynt ymhellach pwy ydoedd, a beth oedd ei gefndir: mab ydoedd i Ebenezer Richard, un o gewri'r genhedlaeth gynt o Fethodistiaid Calfinaidd; Cardi, fel amryw ohonynt hwythau eu hunain, wedi ei addysgu yn Academi Highbury yn Llundain, ac yn weinidog yno ar un o eglwysi cryfaf yr Annibynwyr; ac uwchlaw'r holl gymwysterau hyn yn Ysgrifennydd y Gymdeithas Heddwch a chyda'r trymaf o aelodau'r Gymdeithas Ryddhad. Rhwng popeth, gwleidydd ydoedd i'w gymryd o ddifrif a Chymro i ymfalchïo ynddo.

A dyma'r hyn oedd ganddo i'w ddweud y noson cynt:

Beth am y bobl sy'n medru'r iaith hon, yn darllen y llenyddiaeth hon, yn arddel yr hanes hwn, yn etifeddion y traddodiadau hyn, yn parchu'r enwau hyn [sef arwyr Cymru], ac wedi creu a chynnal a chadw'r rhyfeddodau hyn o gymdeithasau [sef yr eglwysi]—pobl at ei gilydd yn rhifo tri chwarter poblogaeth Cymru—onid oes gan y rhain yr hawl i fynnu, Nyni yw cenedl y Cymry? Onid oes ganddynt yr hawl i edliw i'r dyrnaid tiriog, breiniol, a hynny'n dawel ac yn gwrtais ond eto i gyd yn glir ac yn gadarn, Nyni, nid chwychwi, yw cenedl y Cymry? Nyni, nid chwychwi, biau'r wlad hon, a'n braint ni yw bod ein hegwyddorion a'n dyheadau yn derbyn clust a chynrychiolaeth yn Nhŷ'r Cyffredin. (Nid felly'r sefyllfa hyd yma.) Daliaf nad yw ein cynrychiolaeth yn y Tŷ hwnnw yn gyflawn os ein buddiannau bydol yn unig gaiff ystyriaeth yno; rhaid yn ogystal warchod enaid cenedl, ei chymeriad, a'i chydwybod, ac nid yw'r gwerthoedd hyn o eiddo Cymru erioed wedi cael neb i sefyll drostynt yn y Senedd, hynny er niwed enbyd inni fel gwlad. Oblegid cofiwch mai Anghydffurfwyr yw corff pennaf y genedl, a phob tro y cyflwynwyd mesurau yn y Senedd i hybu cyfiawnder iddynt hwy y mae'n dilyn mai mesurau oeddynt er lles i Gymru gyfan, ond eto i gyd pleidleisio'n ddieithriad yn erbyn gwelliannau o'r fath a wnaeth pawb a etholwyd i'n cynrychioli ni. Nid oedd gan yr aelodau hynny o Gymru ddim cydymdeimlad â'ch egwyddorion, dim balchder yn hanes eich cenedl, dim awydd i ddiogelu eich crefydd, eich bri, na'ch enw da, a phan oedd y lach yn disgyn arnoch yn barhaus ar lawr y Tŷ ac yn y wasg Saesneg, o'r deuddeg ar hugain a anfonwyd ar eich rhan i'r Senedd nid agorodd yr un ohonynt ei enau i achub cam a dirmyg ei gyd-wladwyr.

Yr oedd gan Alfred George Edwards, Archesgob cyntaf Cymru, er gwaethaf ei falais ar goedd, gryn feddwl o Henry Richard, a gwir y dywedodd mai gyrfa Richard fyddai'r allwedd i dynged Cymru am y deng mlynedd ar hugain o'r 1860au ymlaen. O ddadelfennu'r araith sydd newydd ei dyfynnu, rhwng ei dull neilltuol o rethreg ac achlysur ei thraddodi, hawdd cytuno â darogan yr Archesgob, oherwydd araith etholiadol ydoedd yn dynodi fod math o radicaliaeth newydd yn hanes Cymru wedi dyfod i'w hoed, corff o athrawiaethau a pheirianwaith digon pwerus i ddylanwadu'n drymach na'r un grym arall ar wleidyddiaeth Cymru hyd at ddiwedd y ganrif, a honno'n drefn heb obaith ei gwrthwynebu na'i disodli. A'r ffordd y carwn i egluro nodweddion y ffydd wleidyddol hon yw dadansoddi araith Richard a dangos mai hanfod ei radicaliaeth newydd oedd ei ddull o gyfuno tair egwyddor a oedd hyd yma fel rheol wedi eu cadw ar wahân. Y tair elfen hyn oedd cenedlaetholdeb, crefydd, a democratiaeth.

Dechreuwn yr astudiaeth gyda golwg ar genedlaetholdeb, gan sylwi yn gyntaf ar frawddeg agoriadol yr araith:

> Y bobl sy'n medru'r iaith hon, yn darllen y llenyddiaeth hon, yn arddel yr hanes hwn, yn etifeddion y traddodiadau hyn, yn parchu'r enwau hyn, ac wedi creu a chynnal a chadw'r rhyfeddodau hyn o gymdeithasau [sef yr eglwysi]—pobl at ei gilydd yn rhifo tri chwarter poblogaeth Cymru—onid oes gan y rhain yr hawl i fynnu, Nyni yw cenedl y Cymry?

Er gwaethaf pob argraff o siarad ar y pryd, brawddeg ydyw sy'n cynnwys gosodiad syml a phlaen, sef mai pobl Cymru yw cenedl y Cymry, a mwy na thebyg mai yn yr un ystyr yn hollol, yng ngwres yr awr, y dehonglwyd y geiriau gan y sawl a'i clywodd. Ond mae'n frawddeg gymhleth yn ogystal; o graffu ar enwau fel 'pobl' a 'hawliau', sy'n sawru o realaeth draddodiadol y ddeu-

27   Digriflun o Henry Richard a gyhoeddwyd yn *Vanity Fair* ym mis Medi
1880.

nawfed ganrif, a'r amlder cymalau perthynol wedyn, 'sy'n medru'r iaith hon, yn darllen y llenyddiaeth hon, yn arddel yr hanes hwn', ac yn y blaen, gwelwn fod hyn oll yn mynegi grym argyhoeddiad, balchder meddiannau, a nerth a gallu anorchfygol. Ystyriwch hefyd nad oedd gan Henry Richard ddim amheuaeth o gwbl nad oedd ei gynulleidfa yn llwyr ddeall ei neges. Nid ceisio darlithio y mae ar hanes Cymru, neu drafod ei thraddodiadau, nac ychwaith fanylu ar yr enwau y mynn ef eu bod yn destun parch, ond yn hytrach dderbyn ei fod ef a hwythau'n gyfrannog o'r un diwylliant. Felly hefyd am y frawddeg glo, sydd wedi ei llunio yr un modd ac yn cyrraedd ei diben ar bwys yr un dyfeisiau rhethregol, fel ailadrodd yr ymadroddion 'heb gydymdeimlad', 'heb falchder', a 'heb awydd i ddiogelu', yr un math o bwyslais angerddol ar syniadau haniaethol, a'r awgrym drwodd a thro mai prif nodweddion y genedlaetholdeb y mae ef yn anelu ati yw rhannu egwyddorion, ymfalchïo yn yr hanes, ac ymdeimlo'n gyson â'r rheidrwydd i ymgeleddu'r etifeddiaeth.

Yr oedd mwyafrif ei gyd-Gymry yn dotio ar glywed lleisio dyheadau fel y rhain, boed hwy mewn geiriau dethol gan wleidydd soffistigedig fel Henry Richard neu ynteu gan amlaf mewn cerdd a chân. Teimlad digon cyffredin, wrth gwrs, oedd cenedlgarwch o'r fath yng Nghymru, ond yma, o enau Richard, y mae'n magu arbenigrwydd oherwydd ei glymu wrth safbwynt gwleidyddol neilltuol ac felly'n rhoi cychwyn i ymgyrchu gwleidyddol. Mewn gwirionedd, nid oedd hyn ychwaith yn brofiad newydd, oherwydd buasai'r Gymraeg erioed yn iaith 'wleidyddol'. Yr oedd mwy nag un elfen o radicaliaeth o'r ddeunawfed ganrif a thu hwnt, a hyd yn oed iaith y Chwyldro Ffrengig, wedi llwyddo i gymryd arnynt wisg o Gymraeg yn weddol ddidrafferth. Digwyddodd hynny am fod rhai o'r radicaliaid eu hunain, fel William Owen-Pughe a'i gyd-aelodau yng nghlybiau llenyddol a gwleidyddol Llundain, wedi ymroi i loywi gramadeg a helaethu geirfa'r iaith er mwyn ei haddasu ar gyfer cyflwyno gwleidyddiaeth i'r bobl gyffredin. Yr oedd llunio awdlau o fawl ar bynciau haniaethol yn parhau i raddau yn ffurf boblogaidd ar lenyddiaeth, ac ni welwyd adeg ychwaith pan na fu'r Gymraeg yn offeryn i fudiadau gwleidyddol, yn enwedig mudiadau ar ymyl neu y tu allan i briod faes y gwleidydd proffesiynol. Y Gymraeg hefyd yn amlwg oedd iaith yr undebau llafur, yn arbennig y rheini a ddechreuodd flodeuo o'r newydd ymhlith y glowyr yn y 1850au—yn wir, lle'r oedd perchennog y pwll yn ei medru, hyhi oedd iaith pob trafodaeth rhwng meistr a gwas ar faterion fel cyflogau a moddion diogelwch. Y Gymraeg oedd iaith y 'Tarw Scotch' a'r undebau cynnar, yn syml am mai hi eto oedd unig gyfrwng y genhedlaeth gyntaf o weithwyr mewn byd o ormes i geisio dygymod â'u hamgylchiadau a mynnu lle i'w safonau moesol eu hunain. Cymry yn ogystal oedd y Siartwyr, a da cofio bod eu dylanwad hwy ym maes yr astudiaeth hon yn helaeth iawn. Yn yr holl fudiadau hyn at ei gilydd yr oedd egwyddor gwladgarwch yn sail hanfodol i ideoleg yr arweinwyr, a bob amser yn hybu'r ymdeimlad o gymdeithas ac yn cymell gweithgarwch ymhlith eu canlynwyr.

Yr oedd y Gymraeg hefyd yn parhau'n arf gwleidyddol mewn ystyr wahanol ac o bosibl ystyr ddyfnach. I egluro'r gosodiad, rhaid nodi dwy wedd ar y dirywiad iaith y cyfeiriwyd ato eisoes ar ddechrau'r ymdriniaeth. Y wedd gyntaf, ac efallai'r amlycaf, oedd y duedd i ymffurfio'n gymunedau dwyieithog, a'r naill iaith o fan i fan fwy neu lai yn blaenori'r llall. Gallai Henry Richard, er enghraifft, fod yn gwbl ddiogel o'i gynulleidfa yn Aberdâr, ond nid mor hyderus ym Merthyr Tudful, ac yr oedd rhai ardaloedd lle na ellid tystio i sicrwydd fod ei ddaliadau'n dderbyniol a'i wladgarwch yn destun llawenydd. Gydag amser, fel y gwyddys, daeth y syniad o genedlaetholdeb ddeublyg, yr agwedd o falchder yn y wladwriaeth

Brydeinig yn hytrach na Chymru'n unig ac yn bennaf, i roi terfyn ar hyn o embaras.

Yr oedd yr ail newid yn fwy sylfaenol, oherwydd bellach ystyrid y Gymraeg, at rai dibenion, yn iaith israddol ac annigonol. Ym myd ffyniannus diwydiant a thechnoleg y ganrif o'r blaen y Saesneg oedd yn briodol i'w hystyried yn iaith gwyddoniaeth, busnes a masnach, athroniaeth a'r celfyddydau, a'r Gymraeg yn haeddu dim mwy na'i neilltuo i grefydd a barddoniaeth. Ym meysydd glo'r deddwyrain, iaith llafur oedd y Gymraeg yn hytrach na chyfalaf, iaith y gwas yn hytrach na'i feistr, iaith ymostwng i orchmynion yn hytrach na'u llunio. Canlyniad y duedd hon i fychanu'r iaith oedd dwysáu'r teimlad o wahaniaeth dosbarth, ac nid oes amheuaeth i'm tyb i na fu'r rhannu hwn ar bobloedd yn ôl eu hiaith yn achos mor gyfrifol â dim arall am hollti cymdeithas y cymoedd diwydiannol. Yn ffodus, ni ddigwyddodd hynny yng nghefn gwlad. Yno, hyd yn oed ar y stadau mawrion (mawrion oherwydd fod y tenant clwm wedi disodli'r rhydd-ddeiliad), nid oedd iaith o reidrwydd yn arwydd o statws. Yr oedd y Gymraeg yn ddolen gydiol rhwng pawb o'r gymuned leol yn eu cydberthynas ac yn eu dyletswydd a'u parch at ei gilydd. A phan ddigwyddai i'r drefn heddychlon honno fethu, y Gymraeg unwaith eto oedd iaith pob ymrafael. Mewn cymdogaethau fel y rhain nid oedd modd didoli iaith oddi wrth ddosbarth, nac ychwaith felly oddi wrth wleidyddiaeth. Y cwlwm hwnnw yn y 1820au a'r 1830au sydd i gyfrif am radicaliaeth awduron o weithwyr cyffredin yng Ngwent, beirdd a haneswyr fel Brychan ac Eiddil Ifor, Dewi ap Iago, Aneurin Fardd, John Morgan, Ieuan Brydydd Gwent, John Price, a Charadog, i enwi ond dyrnaid o'r cylch nodedig o lowyr, gweithwyr haearn, cryddion a thafarnwyr, i gyd yn aelodau gweithgar o 'Ddynolwyr Nant-y-glo', Cymdeithas Gyfeillgar yn y bôn ond â'i bryd yn ogystal ar ddiwyllio a dyneiddio diwydiant ar batrwm cydweithredol a thrwy gyfrwng y Gymraeg.

Gellir sôn am feysydd eraill lle bu safle israddol a gwendid y Gymraeg yn sbardun i fwy nag un gwladgarwr godi llais o'i phlaid, er enghraifft byd y gyfraith a gweinyddu cyfiawnder. Yr oedd Brychan, yn ôl ei ddyddiadur ym 1838, yn cofio clywed cadeirydd y fainc yn y Chwarter Sesiwn yn Nhredegyr (Thomas Phillips, maer Casnewydd adeg gwrthryfel y Siartwyr oedd hwnnw) yn bygwth Cymro uniaith oni siaradai Saesneg na fyddai neb yno yn barod i wrando arno. Soniodd Syr John Rhŷs yntau am ragfarn amlwg barnwyr o Saeson mai pobl eilradd oedd y Cymry, a bu'n llawdrwm ar y camwri a ddilynodd yn sgîl eu hanallu llwyr, meddai ef, i gydnabod y gallai Cymro, gan brinned ei eirfa, wrthod tystio yn Saesneg mewn llys a chadw ei anrhydedd ar yr un pryd:

Trwm yw gweled merched Cymru
O flaen y fainc yn cael eu barnu;
Safant yno fel rhai gwirion,
Heb wybod sisial iaith y Saeson.

Sylwer, serch hynny, nad oes dim oll o'r diraddio hwn wedi ei fynegi yn araith Henry Richard, dim sôn am y genedlaetholdeb iaith (o'i galw felly) a ddaethai i fod ddechrau'r ganrif, dim ymwybod â'r sarhad a fuasai'n sylfaen mor anhepgor i wladgarwch ac yn hwb mor gadarn i ddiwygiadau radicalaidd. Ac fel y mae'n hysbys ar sail gweithiau Henry Richard ei hun a'i gyfeillion o Ryddfrydwyr Anghydffurfiol, nid amryfusedd sydd i gyfrif am y bwlch. Nid mewn ffit o anghofrwydd y ganed Rhyddfrydiaeth Anghydffurfiol. Yn hytrach, yr oedd yr ymdeimlad o sarhad ac annhegwch erbyn hyn wedi ei sianelu i gyfeiriadau newydd, a'r hen genedlgarwch o'r herwydd wedi colli bron y cwbl o'i arwyddocâd. Yr oedd y llwncdestun cyfarwydd—'Oes y byd i'r iaith Gymraeg'

—yn ddymuniad hyd yn oed ar dafod y sawl a oedd yn caniatáu ac yn wir yn prysuro ei thranc.

Y pen nesaf yn araith Henry Richard yw crefydd, sydd iddo ef yn cyfuno tair o elfennau bywyd cyfoes y genedl. I ddechrau, llwyddiant syfrdanol crefydd drefniadol bron drwy Gymru gyfan. Nid oes raid manylu ar ystadegau'r cynnydd yma, ond y mae'n briodol cofio fod yn y wlad ar y pryd yn agos i ddigon o addoldai i warantu sedd i bob gŵr a gwraig a phlentyn ar fainc neu mewn côr—yn sicr, os derbynnir amcangyfrifon yr arbenigwyr ar ganran y boblogaeth a fedrai, o ran gallu, fynychu lle o addoliad, yr oedd llawer mwy o ddarpariaeth ar eu cyfer nag oedd eisiau. Mewn rhai ardaloedd, yr oedd digon o seddau ar gael i bob copa walltog yn y tir a rhagor yn weddill. Yr oedd hyn yn destun balchder: 'O Gymru, pa le mae dy debyg wlad dan y nef? A pha genedl dan haul â chymaint o ôl crefydd arni ag sydd ar genedl y Cymry?' Yn ôl arweinwyr crefydd yn Lloegr, credai'r Cymry eu bod yn torheulo mewn paradwys o freintiau ysbrydol.

Ar sawl cyfrif, gellir honni fod y grefydd drefniadol hon wedi llenwi bwlch ym mywyd y wlad, drwy weithredu yn yr un modd â'r sefydliadau gwleidyddol hynny mewn gwledydd eraill sy'n crisialu cydwybod cenedl. Ar adeg fel hon, pan oedd yr iaith yn edwino, nid yw'n rhyfedd fod y Cymry wedi troi i wario mwy a mwy o'u hegni a'u hadnoddau i'r diben o berffeithio crefydd, fel corff o athrawiaethau, fel moddion defosiwn, ac fel math ar hunanlywodraeth.

Mwy arwyddocaol fyth oedd strwythur y grefydd hon. Daliai Henry Richard fod tri o bob pedwar o holl drigolion Cymru yn Anghydffurfwyr, a phrin iawn fod lle i anghytuno â'i amcangyfrif. Mae'n dra phosibl bod rhaniad felly yn bod ymhell cyn Cyfrifiad Crefydd 1851, pryd y dechreuwyd cadw ffigurau, ac er bod yr Anglicaniaid wedi codi'n sylweddol yn yr ardaloedd diwydiannol yn ystod yr ugain mlynedd blaenorol, nid yw'n debyg fod cyfartaledd y nifer wedi newid fawr ddim yn y cyfamser. I fanylu ymhellach ar y darlun dylid cofio deubeth, tra gwahanol, gyda llaw, i'r amgylchiadau yn Lloegr, sef yn gyntaf mai strwythur seml ydoedd, i bob pwrpas yn cynnwys dim mwy na chwech o enwadau, a'r rheini'n corffori holl rym a bri yr Hen Anghydffurfiaeth; ac yn ail, fod y Methodistiaid Calfinaidd yn eu plith yn fwy niferus o lawer na'r Wesleaid. Sylwer hefyd ar wedd arall lawn mor bwysig ar y sefyllfa, sef nad oedd neb o'r mân sectau wedi ymwreiddio yn y wlad. Gwir fod y Mormoniaid yn ennill tir, ond eu strategaeth hwy oedd llwybreiddio'u preiddiau i gyfeiriad Utah, ac ni chafwyd felly fawr o gynnydd yn eu haelodaeth yng Nghymru. Mwy na hynny, yr oedd y Mormoniaid yn ddyfal o blaid Seisnigeiddio, oherwydd eu bod yn gwrthod lle blaenllaw i'r Gymraeg yn Nauvoo ac felly'n torri'n groes i farn eu hynafiaid mai hi oedd iaith y nefoedd.

Yr oedd enwadaeth ar y pryd yn faes dadlau diddiwedd. Y mae'n anodd deall bellach paham y gwariwyd cymaint o amser ac ymdrech a dawn i ymryson ar destunau sy'n ymddangos i ni heddiw yn gymharol ddibwys, ond dadleuon oedd y rhain yn eu dydd nad oedd fodd eu hanwybyddu, a'u heffaith ym myd crefydd oedd dwyn yr enwadau mawrion yn nes at ei gilydd, creu ymwybyddiaeth o botensial dihysbydd Anghydffurfiaeth, a chanoli sylw ar hanfodion cred.

Prif nodwedd y mudiad pwerus hwn oedd poblogrwydd ei apêl. Y mae'r hanesydd modern, nid heb achos, yn tueddu i wfftio'r ystadegau y byddid gynt yn eu dyfynnu— yn ôl rhai cyfrifon, er enghraifft, yr oedd pawb bron o'r boblogaeth ar wahân i'r gwehilion tlotaf yn perthyn i enwad. Ond nid oedd unrhyw amheuaeth ynglŷn â dilysrwydd y ffigurau ym meddwl y sylwebydd cyfoes, boed Gymro neu Sais, Anghydffurfiwr neu Anglican. Yn eu barn hwy, grym cynhaliol crefydd Cymru, unwaith eto'n groes i'r patrwm yn Lloegr, oedd ei hapêl i'r gweithiwr cyffredin, ac mae'n ddiddorol fod dau ŵr mor annhebyg i'w gilydd ag Edward Miall a Frederick Engels yn gytûn ar hynny. Barnai Miall fod gweithwyr Lloegr, yn enwedig y sawl a oedd heb waith cyson na dyfodol diogel, wedi torri pob cwlwm â ffydd a threfn yr eglwys Gristnogol, ond gofalodd ychwanegu fod Cymru yn eithriad gogoneddus. Yn ôl Engels, a Miall efallai yn arbennig yn ei feddwl, yr oedd holl ysgrifenwyr y *bourgeoisie* yn unfryd nad oedd y dosbarth gweithiol nac yn grefyddol nac yn gapelgar. Ond yr oedd y profiad mor wahanol yng Nghymru fel y teimlodd Dr. Thomas Rees, Cendl ac Abertawe, ei bod yn ddyletswydd arno i lunio ysgrifau ar gyfer arweinwyr yr Anghydffurfwyr yn Lloegr yn egluro cyfrinach llwyddiant ei gydwladwyr ac yn cymell y Saeson i'w hefelychu. Rhag tybio mai brolio simsan oedd hyn o weithred, cofier bod Rees yn hanesydd glew, yn chwannog efallai i orfrwdfrydu ac yn awyddus i glymu cenedlaetholdeb Cymru wrth grefydd drefniadol yn hytrach na'r iaith, ond er gwaethaf hynny yn ymchwilydd gofalus a dethol ei ddefnydd o'i ffynonellau. I'r Saeson, fel y gellid disgwyl, yr oedd y rhyfeddod yma o grefydd boblogaidd yn achos syndod a dirgelwch, ac mae'n werth galw i gof enghraifft o hanesyn am weinidog ifanc o Annibynnwr o Loegr ar ei wyliau ym Mae Colwyn yn ystod Sasiwn y Methodistiaid Calfinaidd yn Llanfairfechan; yr oedd miloedd o bobl wedi ymgasglu ar drenau arbennig i oedfa awyr-agored, pawb yn eu dillad Sul, y strydoedd mor dawel â'r bedd, a'r siopau megis yn cywilyddio fod eu drysau ar agor o gwbl. 'Ymhle yn Lloegr,' gofynnodd, 'y gellid disgwyl tyrfa o'r fath i ymgynnull mewn lle mor anghysbell i wrando cyfres o *bedair* neu *bump* o bregethau?'

Rhan o'r eglurhad, wrth gwrs, yw bod Anghydffurfiaeth yng Nghymru wedi brigo ochr yn ochr â thwf diwydiant a'r trefi a'r rhaniadau dosbarth. Yr oedd y cynnydd pennaf hwn, mewn gwlad a thref, wedi digwydd yn ystod tensiwn caled y dirwasgiad o'r 1820au ymlaen am yn agos

THE HERALD OF PEACE,

LONDON, FEBRUARY 1ST, 1868.

STARVING AND ARMING.

SIR,—There are two series of facts that in these days force themselves on our attention from all parts of Europe, though there are very few who reflect upon the close connection which exists between the two. The first relates to the terrible distress which prevails among large classes of the people in almost all European countries ; the other to the enormous and ever-increasing extension which the Governments are giving to their naval and military armaments.

For many years past there has not been so general and bitter a cry of suffering, ascending to Heaven from all parts of the world, as we find to-day. Of the widespread destitution and misery in our own country, I need say nothing. Your own columns and those of your contemporaries abound day by day with evidences of its extent and intensity. Men and women and children dying of famine in the midst of us ; thousands of honest and industrious working men,

> "Who beg their brothers of the earth
> To give them leave to toil ;"

and failing to procure that leave, are forced to parish relief or the doles of charity to keep on a lingering and miserable existence ; skilled artisans fain to earn sixpence a day at the stoneyards as their only alternative from starvation.

If we go to France, the same scenes of distress meet us everywhere. I say nothing of the dreadful state of disease and famine which prevails in Algeria, of which the Archbishop of Algiers declares that "calculations which are not exaggerated bring the number of victims within the last six months to above 100,000." In Paris we read of twenty charity soup-kitchens, distributing daily from 40,000 to 50,000 portions, and of the authorities of the city doling out fuel and bread in large quantities, to save the people from utterly perishing. The managers of the "public relief" for Paris have received a subsidy of nearly 400,000f. from the Minister of the Interior, and they are at their wits' end to make it go far enough. In the provinces it is no better. The *Avenir National*, in a recent number, says : "Most distressing news reaches us from the north, centre, and south of France. It is no longer Lyons, Nantes, Rouen, and Roubaix alone that are besieged by misery. The *Gironde* tells us that at Bordeaux the number of the poor who publicly clamour for bread or work has assumed most unexpected proportions ; it has been thought necessary to double the sentries at the Hotel de Ville, and to place a strong body of police at the main entrance, which is constantly encumbered by a famished crowd. At Lille, Auxerre, Limoges, and many other places, the *bureaux de bienfaisance* have been driven to resort to exceptional measures,"

also terrible.
number of fa
is 3,500, spr
Commission
letter denying
the effect tha
misery," adds
women, and c
titute, in the
with typhus f
But it is not
pressure of a
week or two
an isolated pl
various provi
in the most p
not been hea
gling against
stringent mea
rare to use
Business is a
or reduce tl
lodgings ; the
misery, are w
tress has no
Prussia, it th
of some mont

If we go fu
position of E
consequence
Their popula
sentatives of
a million of i
critical state
into consider

In Russia
nications we
journal *La*
famine is y
whelmed by
land become
the kopa of v
thirty-two ga
peasants are
saying a littl

For the i
Friends are
appeal they
letter from I
which draws
province. "
says, "has tl
no words of
sickness at p
famine-strick
tree bark, an
with a little

i ugain mlynedd i ganol y 1840au. Yn wir, ar brydiau yn ystod y blynyddoedd hyn, er enghraifft rhwng 1826 ac 1832, yr oedd aelodaeth yr enwadau wedi chwyddo ynghynt na phoblogaeth y wlad ei hun, ac fe dâl nodi am addoldai Gwent a Morgannwg a godwyd rhwng 1801 ac 1851 fod mwy na'u hanner, i fod yn fanwl 292 allan o gyfanswm o 555, yn perthyn i'r cyfnod o 1836 ymlaen. Nid brefu'r 'Tarw Scotch' yn unig nac ychwaith glindarddach traed y Siartwyr oedd yn seinio ar hyd cymoedd Mynwy, ond llais erfyniol gweddïau'r saint yn ogystal. Darlun blodeuog, efallai, ond yr hyn y ceisir ei bwysleisio yw bod y ddau fudiad, er mor annhebyg eu dibenion, yn rhan o'r un patrwm cymdeithasol, a'u cydberthynas yn fan cychwyn dehongli arwyddocâd y naill fel y llall.

Yn sgîl y cynnydd hwn ymhlith eglwysi'r gweithfeydd, y mae elfen arall y mae'n rhaid ei phwysleisio. Er gwaethaf cychwyn enwadau a chodi addoldai Anghydffurfiol llewyrchus, a'r rheini'n rhan organig o fywyd y trefi diwydiannol, nid yw'n dilyn eu bod yn ddarostyngedig yn yr un modd, os yn wir, o gwbl, i'r grymoedd hynny a oedd yn llunio'r gymdeithas o'u hamgylch. Nid oedd yr eglwysi a'r diwydiannau yn perthyn i'r un gwreiddiau, ac y mae'n glod i'r eglwysi eu bod o leiaf wedi ceisio, ac yn fynych iawn wedi llwyddo i warchod eu hannibyniaeth, i ymgyrraedd at eu priod nod, ac i barchu eu dyletswyddau unigryw. Hwy oedd ffynhonnau rhyddid y cymoedd (a chefn gwlad hefyd, o ran hynny). Y gweithiau haearn, mae'n wir, oedd crud Anghydffurfiaeth boblogaidd, ond nid i'r cyfalafwyr a'r perchenogion y mae'r diolch am benderfynu a saernïo'r patrwm. Yn naturiol, yr oedd gan y meistri haearn a glo fwy o olwg ar y capeli na'r tafarnau, ac yn cydymdeimlo â'r gweithiwr sobr a diwyd o flaen y diogyn o feddwyn, ynghyd â'r aelod eglwys yn hytrach na'r undebwr llafur. Gwyddys eu bod mewn rhyw ffordd neu'i gilydd yn dewis rhannu nawdd yn benodol er mwyn grymuso dylanwad yr eglwys leol. Ond er mor dadol a

didwyll eu cymhellion ar brydiau, fe ddichon taw
'Seimon y swynwr' yw'r enw a weddai orau i'r mwyafrif
ohonynt ac mai anaml hefyd y bu'n rhaid i'r eglwysi
ddibynnu ar gefnogaeth a haelioni meistri o'r fath â'u bryd
yn y pen draw ar bluo eu nyth eu hunain. I'r gwrthwyneb,
o ddarllen hanes yr eglwysi unigol hyd at ganol y ganrif, yr
hyn sy'n taro dyn drosodd a thro yw'r darlun o bobl
dlodion yn ymdrechu hyd at dorcalon i agor addoldai, i'w
dodrefnu, ac i brynu llyfrau ar eu cyfer. Yn anterth eu twf,
dalient i gofio eu gwreiddiau a'u traddodiadau ac, yng
ngeiriau Henry Richard, i 'barchu'r enwau'. At y bobl
ymroddgar hyn yr anelai Richard ei araith, pobl wedi eu
magu a'u meithrin yn y traddodiad Anghydffurfiol, ac at
hynny, o ddyfynnu Richard ymhellach, 'wedi creu a
chynnal a chadw'r rhyfeddodau hyn o gymdeithasau'.

Trydydd pen yr araith, yn anochel, oedd democratiaeth
a'r hawl i freintiau gwleidyddol. Nid oes ganddo, fel y
gwelir, air o sôn am y Tugel, ac nid oedd angen hynny o
gofio mai hwn oedd yr etholiad cyntaf yn sgîl Deddf
Ddiwygio 1867 a'i phleidlais benteulu i'r bwrdeistrefi.
Serch hynny, yr oedd y Tugel yn parhau'n ddelfryd i
ymgyrraedd ato, a phwrpas y posteri gwynion â'r geiriau
'Dim Dwylo Brwnt' a oedd yn cyhwfan ymhlith y dyrfa
oedd dwyn ar gof i Henry Austin Bruce ei eiriau dirmygus
o fygwth a bost yn ystod etholiad 1859: 'Gellwch godi
eich dwylo brwnt yn fy erbyn heddiw, ond myfi fydd yn
eich cynrychioli yfory'. I Richard, yr oedd y Tugel yn
bwnc canolog, yn darian i amddiffyn y tlawd a'r diymad-
ferth rhag gorthrwm a nerth eu meistri cefnog.

Y mae'r araith yn codi dwy ystyriaeth gyfochrog, y naill
yn fater o ddamcaniaeth a'r llall yn fwy ymarferol ei
neges. Pwnc cynrychiolaeth yn y Senedd yw'r cyntaf, a'r
geiriau o'i eiddo i'w cofio yw 'nad yw ein cynrychiolaeth
yn y Tŷ hwnnw yn gyflawn os ein buddiannau bydol yn
unig gaiff y sylw yno'. Ystyr 'buddiannau' yn y cyd-
destun yw lles neu ffyniant materol neu economaidd y

genedl, yn deillio o'r tir, o ddiwydiant, ac o fasnach, a'r buddiannau hynny wedi eu cynrychioli yn Nhŷ'r Cyffredin yn yr ystyr fod aelodau wedi eu hethol yn bwrpasol i'w hamddiffyn a'u hybu, a'r aelodau hynny o fewn eu pleidiau a'u hetholaethau wedi ymglymu ymhlith ei gilydd i berffeithio'r genhadaeth seneddol. Mwy na hynny, digon hawdd darbwyllo'r etholwyr unigol y gallai'r gair 'buddiannau' olygu eu lles a'u mantais hwythau'n ogystal: beth, er enghraifft, am eu cymell i fwrw pleidlais dros Richard Fothergill, oherwydd 'y mae'n gyflogwr mawr, yn talu £1,000 yr wythnos o gyflogau a £12,000 y flwyddyn o drethi, yn awdurdod ar y fasnach haearn dramor, ac yn y blaen, a bydd ei ethol i'r Senedd o'r elw pennaf i chwithau oll'. Ar sail dadl o'r fath, yr un yn y bôn oedd buddiannau'r cyflogwr/aelod seneddol ar y naill law a'r gweithiwr/etholwr ar y llall.

Yr oedd cryn dipyn o'r math hwn o ymresymu yn dderbyniol gan Henry Richard—wedi'r cwbl, nid heb reswm y buasai'n un o gyfeillion agosaf William Cobden. Ond dadleuai ef ymhellach fod buddiannau uwch i'w hystyried na'r materol a'r bydol, oherwydd y mae'r araith, sylwer, yn cyfeirio at 'enaid cenedl, ei chymeriad, a'i chydwybod'. Os gofynnir beth a olygid wrth ymadroddion o'r fath yr ateb iddo ef, ac yn ogystal ar sail cyfanswm profiadau ei wrandawyr, oedd bod gwerthoedd eraill yn rheoli bywyd na ellid eu didoli oddi wrth y grefydd a arddelid gan drwch poblogaeth Cymru. Yr oedd yr Anghydffurfwyr erioed wedi ymgyrchu o blaid cyfiawnder, hawliau, a chydraddoldeb, a chraidd eu hanes oedd y frwydr i fynnu'r union freintiau hynny i'w heglwysi. Dyma'r traddodiadau a dyma'r enwau, yn ôl Richard, a oedd yn teilyngu parch. Onid oedd gan bawb o'r eglwysi eu hanes i ymfalchïo ynddo, eu harwyr i fawrygu eu haberth, a chwedlau i'w trysori am y tadau diymgeledd gynt yn pwyso ar eneidiau o gyffelyb fryd yn Llundain am gymorth a chysur yn erbyn eiddigedd, malais, a

chwerwedd gwladwriaeth â'i bryd ar eu diddymu, a
rhagfarn a chasineb y mwyaf didostur a diamynedd o
ustusiaid y wlad?

Nid yw mor bwysig â hynny, o leiaf at bwrpas y
drafodaeth hon, faint o'r stori hon o'r gorffennol oedd yn
gywir ai peidio. Gwir werth yr hanes yw bod capelwyr y
cyfnod yn dal i'w chredu, ac mai o'r profiad parhaol hwn
o sicrhau chwarae teg mewn byd ac eglwys yr esgorodd yr
egwyddor o ddemocratiaeth yn eu plith. Democratiaeth
ydoedd, cofier, heb ddim cymhlethdod soffistigedig yn
perthyn iddi; egwyddor ydoedd, efallai, i golli golwg arni
o dro i dro ac yn amlach na hynny i'w chymryd yn
ganiataol, ond nid rhith o drefn ychwaith yn gymaint â
phrofiad dilys ym mhatrwm bywyd holl eglwysi'r wlad. A
photensial gwleidyddol, ac yn arbennig etholiadol y
ddemocratiaeth newydd hon, oedd y grym y gallai Henry
Richard a'i gyd-Anghydffurfwyr ei ddeall a'i osod ar
waith. Yn hyn o ymgyrch dichon iddynt lwyddo y tu hwnt
i'w disgwyl.

Bu dau ganlyniad i'r ymgyrch hon. Yn gyntaf, troes
cwynion gorffennol yr enwadau yn gwynion Cymru
gyfan, a daeth traddodiadau cynnar yr Anghydffurfwyr o
erledigaeth a chamwri yn rhan o gof cenedl. 'Nyni sy'n
parchu'r enwau hyn', meddai Henry Richard, ac yr oedd
yr enwau hynny bellach wedi tyfu megis yn galendr o
saint yr Hen Anghydffurfiaeth. Onid dyma'n wir
gychwyn hanes o'r newydd? Yn ail, daeth y cwynion hyn
yn rhan annatod o wleidyddiaeth Cymru. Ymuniaethodd
y wlad i gyd â phynciau sectyddol fel gwrthuni a gwarth
y deddfau claddu, gorthrwm y dreth eglwys, a'r amharod-
rwydd i agor drysau'r Prifysgolion i Anghydffurfwyr. Yn
anad dim, daethpwyd i ystyried y gri am Ddatgysylltiad yr
Eglwys yn Iwerddon yn un o brif amcanion gwleidydd-
iaeth Cymru hithau, yn gam cyntaf tuag at newid cyffelyb
yn eu plith hwy eu hunain.

Peace Society,
Office, 19, New Broad Street.
London, **Dec. 22 1865**
E.C.

My dear Sir

Yes, you may
use my letter as you
propose, all but the postscript
which as it refers to others,
I would rather you kept
to yourself. Dr Nicholas
inter nos is not a pleasant
person to get into contro-
versy with, not because
one fears his logic but
his temper

Yours very truly
Henry Richard

29   Llythyr a anfonwyd gan Henry Richard at Thomas Gee ar 22 Rhagfyr
1865: manteisiai Richard yn llawn ar golofnau'r *Faner*.

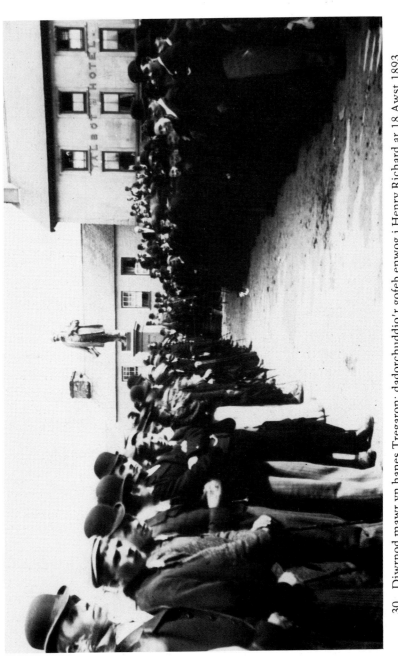

30 Diwrnod mawr yn hanes Tregaron: dadorchuddio'r gofeb enwog i Henry Richard ar 18 Awst 1893.

Gallai Henry Richard neu unrhyw gyd-Ryddfrydwr Anghydffurfiol fod wedi traddodi'r araith hon yn rhywle yng Nghymru a chael ei lwyr ddeall, oherwydd yr oedd cydwybod wleidyddol yr Anghydffurfwyr erbyn hyn wedi ei deffro. Adwaenid Richard, hyd yn oed cyn yr etholiad, fel yr 'Aelod dros Gymru' ac yn gynharach yn y mis cyhoeddodd anerchiad 'At Etholwyr Anghydffurfiol Cymru' yn union fel arweinydd plaid yn cyflwyno maniffesto, a'r neges honno yn egluro egwyddorion polisi plaid ar holl bynciau llosg y dydd fel cenedlaetholdeb, cydraddoldeb crefydd, hawliau cyfansoddiadol, a dyletswyddau moesol. Ac erbyn meddwl, nid mor afresymol wedi'r cwbl yw sôn am Richard fel arweinydd plaid, oherwydd ar ryw olwg yr oedd ganddo eisoes beirianwaith plaid i alw arno ym mhob cwr ac etholaeth o'r wlad, peirianwaith hollbresennol a pharhaol a'i drefniadaeth yn fywiocach o lawer na'r un o bwyllgorau *ad hoc* y gweddill o'r pleidiau. O edrych yn ôl, yr oedd y cwlwm hwn o eglwysi Anghydffurfiol mor nerthol ei ddylanwad fel na allai nac ymgeisydd na phlaid nac etholaeth fforddio ei anwybyddu, ac o geisio dyfalu teimladau'r enwadau ar y pryd mwy na thebyg nad oedd angen gormod o berswâd arnynt hwythau ychwaith, er amlyced eu gwahaniaethau, i gredu'n hollol yr un fath. Ond nid dyna oedd y sefyllfa. Ar y pryd, ym Merthyr Tudful ac Aberdâr yn unig, ac o bosibl un neu ddwy etholaeth ddiwydiannol arall, yr oedd modd cyhoeddi barn yn rhydd ac yn ddiogel mewn lecsiwn; y tu allan i'r cylchoedd hynny, ar wahân i esiampl arloesol ogoneddus Meirionnydd, yr oedd gwaseidd-dra yn drech nag argyhoeddiad.

Ffynhonnell yr iaith wleidyddol newydd, felly, a ddaeth gydag amser yn offeryn rhyfeddol o gadarn yn hanes Cymru, oedd cyfuniad o genedlaetholdeb wedi ei miniogi gan ymdeimlad o arbenigrwydd crefydd a diwylliant, anniddigrwydd yn sgîl gwrthod breintiau i'r Anghydffurfwyr, a'r posibilrwydd cyffrous o ymladd yn wleidyddol am y tro cyntaf erioed. Iaith ydoedd y llwyddwyd ar unwaith i'w deall ac yn gyflym ei gosod ar waith, ond iaith, fel y cafwyd gweld, ac iddi ei gwendidau gwleidyddol. 'Annwyl Gymru', meddai un siaradwr mewn cyfarfod ochr-y-mynydd, 'yr ydym yn dy garu, ac fel arwydd o'n ffyddlondeb yr ydym am ddanfon un o'th feibion i'r Senedd.' Geiriau democrataidd cryfion oedd y rhain, mor ddealladwy i'r capelwyr a'r digrefydd fel ei gilydd, ac yn adlais o'r brwydrau gynt a awgrymir yn un o gofnodion pwyllgor etholiadol Aberdâr, 'fod etholwyr pob rhanbarth i'w rhannu bob yn ddeg, gyda chapten ar bob deg a chapten yn ei dro ar bob deg o'r capteniaid, a chapteniaid y degau a'r cannoedd ynghyd â'r swyddogion wedyn i ymffurfio'n bwyllgor'. Rhyfedd o gyd-ddigwyddiad mai'r tro diwethaf y defnyddiwyd geiriau tebyg oedd yn Hydref a Thachwedd 1839 pan oedd y Siartwyr ar fin ymdyrru mewn gwrthryfel i Gasnewydd, ac arwydd o'r newid dirfawr yn y sefyllfa o fewn deng mlynedd ar hugain oedd bod yr un drefn radicalaidd yn parhau'n gyfrwng gwleidyddol mewn amgylchiadau hollol wahanol. Yr oedd iaith gwleidyddiaeth ac iaith crefydd yng Nghymru bellach wedi toddi'n un, ac am y deugain mlynedd nesaf yr iaith hon fyddai llais y diwylliant gwleidyddol yng Nghymru.

DARLLEN PELLACH

Geraint H. Jenkins, 'Henry Richard', yn D. Ben Rees gol., *Oriel o Heddychwyr Mawr y Byd* (Cyhoeddiadau Modern Cymreig, 1983).

Ieuan Gwynedd Jones, 'The Election of 1868 in Merthyr Tydfil', *Journal of Modern History*, XXXIII (1961).

Ieuan Gwynedd Jones, *Explorations and Explanations* (Llandysul, 1981).

Ieuan Gwynedd Jones, 'Language and community in nineteenth century Wales', yn D. Smith gol., *A People and a Proletariat: Essays in the history of Wales 1780-1980* (Llundain, 1980).

T. H. Lewis, 'Y Mudiad Heddwch yng Nghymru, 1800-1899', *Traf. Cymmrodorion* (1957).

Charles S. Miall, *Henry Richard* (Llundain, 1889).

Kenneth O. Morgan, *Wales in British Politics, 1868-1922* (3ydd arg., Caerdydd, 1980).

Ifor Parry, *Henry Richard 1812-1888* (Aberdâr, 1968).

Eleazar Roberts, *Bywyd a Gwaith Henry Richard* (Wrecsam, 1902).

Glanmor Williams gol., *Merthyr Politics* (Caerdydd, 1966).

Y DERYN NOS A'I DEITHIAU: DIWYLLIANT DERBYNIOL CHWARELWYR GWYNEDD

Dafydd Roberts

Ni welais yn unman eto fechgyn mor haerllug ag y gwelais ar y ffordd yn ardaloedd Ffestiniog. Y mae'r iaith a ddefnyddir ganddynt ymhell o fod yn weddus, ac y mae agwedd ambell un ohonynt yn herfeiddiol.

'Teithiwr Arall' yn *Y Rhedegydd*

Bu'n arferiad ers blynyddoedd bellach i drafod chwarelwyr Gwynedd a'u diwylliant mewn dull edmygus, hiraethus. Crewyd ymwybyddiaeth ymhlith y Cymry mai dyma'r diwydiant, dyma'r bröydd, a dyma'r bobl a fagodd rai o gewri ein cenedl ac a gyfrannodd o'u cyflogau prin er mwyn sefydlu colegau ym Mangor ac Aberystwyth. Gŵyr llawer am bwysigrwydd prif drefi'r ardaloedd hyn yng nghyd-destun cyhoeddi papurau newyddion Cymraeg—yn wir, bu Caernarfon yn ganolfan hollbwysig i'r wasg Gymraeg hyd yn ddiweddar iawn. Yn yr un modd, mae'r diwylliant a fu'n gysylltiedig â'r 'Caban'—yr ystafell fwyta—yn y chwareli llechi, eto'n hysbys. Ceir disgrifiadau byw iawn o'r hyn a ddigwyddai yn y caban: ffug-eisteddfodau, cystadlaethau offerynnol, dadleuon ar faterion economaidd neu wleidyddol y dydd, ac yn y blaen. Dyma feithrinfa cymeriad 'Gwŷr Glew y Garreg Las', ys dywed Gwilym R. Jones; dyma'u coleg, a dyma dalwrn eu talentau.

Prin bod rhaid chwilio ymhell i ganfod toreth o dyst-iolaeth sy'n cadarnhau'r darluniau a'r delweddau hyn. Ychydig flynyddoedd cyn dechrau'r Rhyfel Byd Cyntaf, cyflwynwyd y darlun hwn o fywyd a buchedd chwarelwyr Blaenau Ffestiniog gan O. M. Edwards:

> [Gwelais] oddi wrth yr olwg arnynt, [eu bod] yn ddynion deallgar iawn fel dosbarth. Ni welais ôl syrthni meddwdod ar eu wyneb, na'r wynebau nwydwyllt a welais yn hylltrennu ac yn gwgu arnaf mewn aml ffatri fawr yn Lloegr ac ar y cyfandir . . . . Y mae bywyd moesol Ffestiniog ar y cyfan yn iach a phur. Ni adewir i fasnach ladd meddwl, y mae'r llenor a'r bardd yn siwr o gael gwrandawiad . . . Diwinyddiaeth yw prif faes astudiaeth Ffestiniog eto, ac y mae'n amhosibl cael gwell diwylliant i'r meddwl.

Ceir disgrifiadau cyffelyb yn y rhagair i gofiant y Parch. H. D. Hughes, Caergybi, a baratowyd gan ei fab, David Lloyd Hughes. Wedi nodi bod ei dad, a ddechreuodd weithio yn chwarel Dinorwig, Llanberis, cyn ymuno â'r weinidogaeth, 'yn gynnyrch nodweddiadol ardal y chwareli', â ymlaen i ddadansoddi'r rhesymau dros ymddangosiad 'dawn a chymeriad ein gwerin ar ei gorau'. Gan gychwyn gyda dyfodiad y Chwyldro Diwydiannol, esbonia mai 'rhan o'r Chwyldro Diwydiannol oedd datblygiad chwareli Arfon a Meirionnydd, ond o drugaredd yr oedd gwahaniaethau'. Dan yr amgylchiadau iawn, meddai, gallai'r werin Gymraeg ddatblygu 'rhagoriaethau arbennig'—oherwydd pan ddaeth 'tyfiant y gweithfeydd â hwy i weithio a byw yn fwy clòs at ei gilydd, yr oedd y ffordd yn glir i'w hathrylith Gymreig ddangos ei gwerth'.

Nid dyma'r unig dystiolaeth sy'n awgrymu bod gan y gymdeithas chwarelyddol, a'r rhai a ysgrifennai amdani, ddull pur nodweddiadol o gyflwyno portread ohoni ei hun. Yng ngweithiau Dr. Kate Roberts a T. Rowland Hughes, er enghraifft, ceir darluniau ar ffurf nofel, neu stori, o fywyd y chwarelwr a'i deulu, naill ai mewn ardal wledig, hanner-ddiwydiannol, megis Rhosgadfan, neu mewn pentref diwydiannol, megis Llanberis. Yr un yw nodweddion y darluniau a geir gan y ddau awdur, sef gwerin syml, ddiffuant, egwyddorol, Anghydffurfiol, radicalaidd, yn meddu ar werthoedd 'da', yn gyforiog o'r diwylliant Cymraeg ar ei orau, ac yn perthyn i gymdeithas ddidwyll, hawdd ei deall, gwerth ei hefelychu. Testun sbort, neu amheuaeth, oedd gwerthoedd trefol, ac fe'u hystyrid yn werthoedd anghymreig, annheilwng o'r gymdeithas chwarelyddol. Dyna'n sicr ddigon oedd agwedd William Jones a'i gymdogion at awydd Leusa i fynd i Gaernarfon er mwyn cael gwneud ei gwallt, neu er mwyn cael gwylio ffilm. Byddai'n fwy derbyniol petai Leusa yn aros gartref er mwyn paratoi swper chwarel i'w

31 Golygfa o stryd fawr Pen-y-groes, Gwynedd, ym 1900.

32 Trigolion Pen-y-groes yn ufuddhau i wŷs y dyn camera wrth ddisgwyl trên.

gŵr, neu yn ymuno yn y gweithgareddau diwylliannol derbyniol a oedd ar gael yn ei phentref. Disgrifiad digon tebyg a geir gan rai o feirdd y bröydd chwarelyddol. Yn ei gerdd 'Dyffryn Nantlle Ddoe a Heddiw', hola R. Williams Parry:

Pwy'r rhain sy'n disgyn hyd ysgolion cul
Dros erchyll drothwy chwarel Dorothea?

A'r ateb:

Y maent yr un mor selog ar y Sul
Yn Saron, Nasareth a Cesarea.

Disgrifiad o fywyd y chwarelwr a geir hefyd yn englynion Lisi Jones, Y Fron:

Gwaraidd ddiwylliant gwerin—a'u cododd
    Wŷr cedyrn eu rhuddin;
Gwnaeth syml goleg y gegin
Hwy'n braff er eu haddysg brin.

Llyfr Duw fu'n lleufer i'w dysg—a hudol
    Ysbrydiaeth ddigymysg;
Iddynt ei Air oedd hyddysg,
A mawr ei barch yn eu mysg.

Dros gapel a dirgelion—ei olud
    Y gwylient yn ffyddlon,
Hiraeth am Rosyn Saron
Wna'u crefydd yn 'grefydd gron'.

Gellir gweld, felly, fod ambell elfen yn sefyll allan, ac yn cael ei phwysleisio dro ar ôl tro. Yn anad popeth arall, efallai, yr elfen grefyddol yw honno, a phrin bod angen amau nad oedd crefydd yn bwysig yn y bröydd hyn. Gall yr ymwelydd mwyaf arwynebol sylwi, hyd yn oed heddiw, fod yn yr ardaloedd hyn gyfanswm rhyfeddol uchel o addoldai Anghydffurfiol a'u bod, at ei gilydd, yn adeiladau trawiadol fawr, ag ôl gwario arnynt ac ynddynt. Byddai'n rhesymol tybio bod bywydau pawb yn troi o amgylch y capel a'r diwylliant a oedd ynghlwm ag ef, gan fod cymaint o bwyslais yn cael ei roi ar safle'r capel yn y gymdeithas. Gwerthoedd y capel oedd gwerthoedd y gymdeithas, ac fe gaent eu hadlewyrchu yn nheyrngarwch gwleidyddol ac undebol y chwarelwyr, gyda'r gweinidogion yn arwain ac yn ysbrydoli eu cynulleidfaoedd mewn cyfnodau argyfyngus, megis cyfnod Streic Fawr Chwarel y Penrhyn, Bethesda, rhwng 1900 a 1903.

Nod yr ysgrif hon yw cynnig ambell gip arall ar fywyd y chwarelwr a'i deulu, ac ar fywydau'r rhai hynny a drigai yn yr ardaloedd chwarelyddol, yng ngoleuni, ac mewn adwaith i'r portreadau y cyfeiriwyd atynt eisoes. Ni cheir yma unrhyw ymgais i bwyso a mesur arwyddocâd crefydd y chwarelwyr ac nid dyma'r lle, ychwaith, i geisio dadansoddi holl deithi bywyd y bröydd. Ond y mae angen bellach i haneswyr geisio ailgloriannu beth yn union a oedd yn digwydd yn y gorffennol; mae angen hefyd i'r canolfannau hynny sy'n dehongli hanes y diwydiant llechi i'r twristiaid a heidia i Wynedd yn ystod yr haf sylweddoli beth yw gwir natur yr etifeddiaeth a'r cefndir, gan beidio â bod yn rhy barod i dderbyn gwaddol llenyddol a dogfennol y gorffennol fel yr unig ffynonellau.

Fe gynigiai'r capeli, yn ddi-os, ddarpariaeth helaeth iawn ar gyfer eu haelodau ac ar gyfer 'gwrandawyr' yn ogystal. Gan anwybyddu'r gwasanaethau a gynhelid ar y Sul, ynghyd â chyfarfodydd i'r ifainc ar y diwrnod hwnnw, dyma'r digwyddiadau a gynhelid ym mhentref Pen-ygroes, Arfon, yn ystod wythnos gyntaf mis Rhagfyr 1912:

1. Ar nos Fawrth, yng nghapel Soar [Annibynwyr], dadl dan nawdd Urdd yr Ieuenctid. Testun: 'Dameg y Mab Afradlon: ai y mab ieuengaf neu'r hynaf oedd y gorau o'r ddau'. Canlyniad: 49 pleidlais o blaid yr hynaf; 12 o blaid y Mab Afradlon.

2. Cymdeithas Ddrama'r pentref yn perfformio nos Fawrth ym Mron-y-foel; ym Mhenmaen-mawr nos Fercher; ac yn y Neuadd Ddinesig, Pen-y-groes, ar nos Iau.

3. Ymarfer ar gyfer y côr lleol.

4. Cyfarfod o'r Annibynwyr lleol, er mwyn trefnu Cymanfa Ganu yng nghapel Soar.

5. Cyfarfod o Gymdeithas Lenyddol Saron [Methodistiaid Calfinaidd] nos Fawrth. Anerchiadau yn trafod Llew Llwyfo ac Owen Owens, Cors y Bryniau, wedi eu traddodi yno.

6. Nos Wener, yn y Neuadd Ddinesig, darlith a darluniau hud-lusern am Ganada.

Ni chyfyngid y cyfarfodydd a'r dadleuon a gynhelid yn y capeli, yn ystod yr wythnos, i themâu crefyddol a diwinyddol yn unig. Yn wir, ceid enghreifftiau o ddadleuon ar bynciau digon blaengar—megis y drafodaeth ar ddiwedd Tachwedd 1912, gerbron aelodau Cymdeithas Lenyddol Tabernacl [Wesleaid], Penrhyndeudraeth, ai mantais neu anfantais oedd bodolaeth y Blaid Lafur. Yn dilyn dadlau brwd, penderfynwyd mai mantais, yn wir, oedd bodolaeth y Blaid. Rai dyddiau'n ddiweddarach, diddanwyd aelodau Cymdeithas Lenyddol Hyfrydfa [Annibynwyr], Blaenau Ffestiniog, gan anerchiad ar 'Denmarc a'i Phobl' gan Mrs. Silyn Roberts.

Erbyn y 1920au, darperid sawl math arall ar adloniant ar gyfer trigolion y pentrefi chwarelyddol. Gwelwyd sefydlu neuaddau Y.M.C.A. yn y pentrefi mwyaf, ac fe'u dilynwyd gan glybiau snwcer a biliards. Cynigid darpariaeth ychydig yn helaethach ar gyfer y merched, yn ogystal. Dechreuodd y 'Dorcas' bylu fel atyniad, er mai prif swyddogaeth llawer o'r 'chwiorydd' oedd gwneud te a bara brith ar gyfer achlysuron a digwyddiadau'r capel. Daeth Sefydliad y Merched â rhywfaint o newid i'w bywydau, gyda dosbarthiadau cysylltiedig yn ymdrin â

'Brodwaith Addurniadol', er enghraifft, neu 'Coginio yn y Cartref'—yn Saesneg, wrth gwrs.

Ceir tystiolaeth, yn ogystal, sy'n awgrymu bod diddordebau cerddorol yr ardaloedd chwarelyddol yn dechrau newid. Er bod cryn bwyslais yn parhau ar gerddoriaeth 'grefyddol' ei naws, ac ar y Gymanfa Ganu yn arbennig, rhoddwyd croeso syfrdanol i'r Neapolitan Opera Company ym Mhen-y-groes, Penrhyndeudraeth a Blaenau Ffestiniog yn ystod gaeaf 1922-3, gydag artistiaid cwmnïoedd Carl Rosa a Syr Thomas Beecham yn perfformio *Maitan*, *Il Travatore*. *The Daughter of the Regiment*, *The Bohemian Girl*, *Faust* a *The Jolly Waterman* gerbron cynulleidfaoedd helaeth.

Cyrhaeddodd y ffilmiau diweddaraf hefyd, gan beri rhyfeddod ac arswyd. Dangosid y ffilmiau cyntaf un mewn mannau cyhoeddus, weithiau ar y stryd mewn tref fel Bethesda. Wedi adeiladu neuaddau cyhoeddus, a oedd fel arfer yn gofebau i'r Rhyfel Byd Cyntaf, dangosid y ffilmiau di-sain cynnar ynddynt, neu mewn hen gytiau byddin, gan achosi gofid mawr i barchusion lleol. Nid cynnwys y ffilmiau a'u gofidiai yn gymaint â'r ffaith fod dynion a merched ifainc a chanol oed yn cael ymgynnull a chyd-eistedd mewn tywyllwch. Beth, tybed, a ddigwyddai i foesau'r chwarelwyr dan y fath amgylchiadau? Helyntion Charlie Chaplin a Ben Turpin, neu arswyd yr 'Hooded Terror' a 'Count Dracula' a âi â'u bryd, fodd bynnag, gyda'r drafodaeth yn y caban y Llun canlynol yn seiliedig ar ryfeddodau'r sgrîn arian, ac nid ar ryfeddodau mwy 'sylweddol' y Testament Newydd. Erbyn y 1930au, adeiladwyd sinemâu pwrpasol ym Mhen-y-groes, Blaenau Ffestiniog a Bethesda ar gyfer dangos y 'talkies' diweddaraf, ac er mwyn ceisio cystadlu â'r rhyfeddod diweddaraf, sef y radio.

Nid dyma'r unig dystiolaeth i gerddediad Mamon drwy'r bröydd chwarelyddol. Cynhelid gyrfeydd chwist yn rheolaidd mewn nifer o ardaloedd, gyda'r ysbryd cystadleuol yn gyforiog ynddynt; roedd mynychwyr yn barod i gerdded milltiroedd bob nos i'r yrfa agosaf. Y benbleth fwyaf i'r to hŷn, fodd bynnag, oedd ceisio pwyso a mesur eu hadwaith i'r dawnsfeydd a oedd, eto erbyn y 1930au, mor boblogaidd. A ddylai'r cynghorau lleol roi sêl eu bendith ar y fath rialtwch drwy ganiatáu eu cynnal yn y neuaddau lleol, a thrwy hynny geisio rheoli ymddygiad y dawnswyr; neu a ddylent wrthod caniatâd, a chael yn ddiweddarach fod y ddawns i'w chynnal mewn canolfan o fath arall, heb fawr mwy nag arolygiaeth plismon lleol? Bu'r dawnsfeydd yn hynod boblogaidd, beth bynnag am agwedd wfftiol y genhedlaeth hŷn, ac fe siglai'r 'Assembly Rooms' ym Mlaenau Ffestiniog bron bob nos Sadwrn i gyfeiliant y band lleol, 'Dennis's Nighthawks Dance Band'. Pan nad oedd dawns yn y Blaenau, yna fe drefnid bws nos Sadwrn i'r fangre arall ym Mhorthmadog ar gyfer dawnsfeydd. Câi Dennis a'i gwmni, yn ogystal, eu cyflogi gan sefydliadau megis Mudiad Addysg y Gweithwyr neu Sefydliad y Merched ar gyfer diddanu aelodau yn eu swperau pentymor.

Yn ystod y cyfnod rhwng y ddau Ryfel Byd, parhau hefyd a wnâi gweithgareddau'r capel, y Gymdeithas Lenyddol a'r Eisteddfodau lleol. Ond fe fu newid: yn lle'r ymlyniad arferol wrth themâu crefyddol a moesol, cafwyd trafodaethau ar themâu newydd, cyffrous. Yn ystod Ionawr 1923, trafodwyd 'Y Di-Wifr', 'Awyrennau' a 'Radium' gan aelodau Tabernacl [Methodistiaid Calfinaidd], Blaenau Ffestiniog, ac aethpwyd ati'n aml i drefnu ffug-etholiad, gyda chynrychiolydd ar ran y tair prif blaid, fel adloniant ar gyfer aelodau. Yn ystod yr wythnos olaf ym mis Hydref 1922, cynhaliwyd y gweithgareddau canlynol ym mhentref Pen-y-groes:

1. Yng nghapel Saron [Methodistiaid Calfinaidd], ar nos Fawrth, dan nawdd Urdd y Cymdeithasau Llenyddol,

darlith gan yr Athro W. Miles, Llundain. Testun: 'Dramatic Revival'.

2. Nos Fercher, yn y Neuadd Goffa, cyflwynwyd nifer o bortreadau o weithgareddau'r haf gan Mr. J. Goodman a'i gwmni, sef artistiaid yr hudolus 'Happy Valley', ar Ben-y-Gogarth, Llandudno.

3. Nos Iau, yn Neuadd y Fyddin: ffair sborion, dan nawdd pwyllgor y Neuadd Goffa.

4. Nos Sadwrn, yn y Neuadd Goffa, Cwmni Drama Llyfnwy yn cyflwyno'r ddrama *Asgre Lân*.

Cyfeiriwyd eisoes at ymddangosiad Mudiad Addysg y Gweithwyr yn y bröydd chwarelyddol. Yn dilyn pwyso gan Silyn Roberts ac R. T. Jones (Ysgrifennydd Undeb Chwarelwyr Gogledd Cymru), cytunodd awdurdodau Coleg y Brifysgol, Bangor, i sefydlu dosbarth ar 'Economeg' ym Mlaenau Ffestiniog, gyda J. F. Rees o'r Coleg yn diwtor. Erbyn 1911, sefydlwyd dosbarthiadau ym Methesda, Llanberis a Phen-y-groes, yn ogystal â Blaenau Ffestiniog, ac fe gawsant gefnogaeth eiddgar gan ddynion a merched a ddymunai gael addysg uwch a phur wahanol i'r hyn a gynigid naill ai gan yr ysgolion elfennol neu gan yr Ysgolion Sul. Ym 1915, allan o'r cyfanswm o ddau ar bymtheg dosbarth M.A.G. a gynhaliwyd drwy Gymru benbaladr gan y Brifysgol, roedd chwech mewn ardaloedd chwarelyddol—sef y pedair ardal a nodwyd uchod, ynghyd ag Abergynolwyn ac Aberllefenni.

Câi M.A.G. gefnogaeth, felly, hyd yn oed yn y pentrefi lleiaf ac mae'r dosbarth a gychwynnwyd ym mis Hydref 1923 yn ysgoldy Capel Hermon [Methodistiaid Calfinaidd], Mynydd Llandygái, wedi parhau i gyfarfod yno hyd heddiw. Rhyfeddol, yn wir, oedd ystod eu diddordebau, ac fe ddenid rhai o ysgolheigion y genedl i'r ysgoldy bob gaeaf. Eu tiwtor cyntaf oedd Owen Parry, ac mewn chwe blynedd cyflwynodd gyfresi o ddarlithoedd yn trafod 'Hanes Gwareiddiad', 'Hanes y Diwygiad Protestannaidd',

'Diwygiadau yng Nghymru', 'Y Dadeni', 'Llywodraeth Leol', 'Economeg', 'Hanes Cymru' a 'Hanes Plwyfi Llanllechid a Llandygái'. Fe'i dilynwyd gan John Williams, a gyflwynodd gwrs tair blynedd yn trafod 'Cerddoriaeth'; yna gan David Thomas, a roes gwrs 'Hanes' tair blynedd. Bu Dr. R. Alun Roberts yn trafod 'Bywydeg', y Prifathro J. Morgan Jones yn trafod 'Hanes Gwareiddiad', y Parch. J. R. Roberts yn trafod 'Problemau Cymdeithasol', a'r Parch. R. H. Hughes yn ymdrin â'r 'Beibl a'i Gefndir'. Cafwyd cwrs ar 'Lenyddiaeth Cymru' gan J. E. Jones, R. E. Jones a Huw Llew Williams, ac un arall ar yr un testun dan ofal R. Williams Parry.

Tasg ddigon anodd, mae'n siŵr, oedd cyflwyno ambell destun gerbron rhai o'r chwarelwyr. Gellir dychmygu'r cyffro yn y dosbarth ym Mhen-y-groes ym 1911, ychydig flynyddoedd wedi Diwygiad 1904-5, wrth i Robert Richards o Goleg Bangor gyhoeddi ei frawddeg gyntaf:

Man, like all other animals, is tied to the soil.

Yng ngeiriau un o'r aelodau:

Peidiai rhai ag ysgrifennu; edrychent ar ei gilydd, rhai yn syn, ac eraill gyda gwên. Nid oeddym ymhell o flynyddoedd y Diwygiad. Yr oedd R. J. Campbell yn pregethu ei ddiwinyddiaeth newydd, ac i rai yr oedd aroglau Darwiniaeth ar y frawddeg hon.

Os oedd her ddeallusol i'r Anghydffurfwyr lleol i'w chael yn nosbarthiadau Robert Richards, yn sicr roedd her ystadegol i'w hwynebu erbyn y blynyddoedd cyn y Rhyfel Byd Cyntaf—sef llenwi'r addoldai yn yr ardaloedd chwarelyddol. Adeiladwyd, ailadeiladwyd, ac yna helaethwyd nifer o'r capeli yn ystod y cyfnod o'r 1850au hyd at tua 1900, pan ymddangosai'r twf oddi mewn i'r diwydiant llechi yn dueddiad cyson ac anochel. Bu'r dirwasgiad diwydiannol o 1903 ymlaen yn gyfrwng poenus i ddwyn

33 Y Gymru Anghydffurfiol: adeiladu Capel Gwylfa, Manod, ym 1906.

sylw at y goradeiladu a fu; ac fe glywodd cynrychiolwyr y
Comisiwn Brenhinol ar Fannau Addoli ym 1907 fod
enwadaeth, ysbryd cystadleuol, a'r awydd ymhlith y
Methodistiaid Calfinaidd i adeiladu addoldai a fyddai'n
ddigonol ar gyfer y Cyfarfod Misol, eto'n rhannol gyfrifol
am hybu'r goradeiladu.

Gan gynnwys eglwysi Anglicanaidd, roedd gan sir
Gaernarfon 'eisteddleoedd' neu seddi mewn addoldai ar
gyfer 179,500 o bobl ym 1905; roedd poblogaeth y sir y
flwyddyn honno oddeutu 127,000. Yn yr un modd,
darperid 'eisteddleoedd' ar gyfer 77,500 ym Meirionnydd,
lle'r oedd y boblogaeth ond ychydig dros 49,000. Drwy
Gymru benbaladr, darperid seddi ar gyfer 74% o'r
boblogaeth; ond darperid ar gyfer 141% o boblogaeth sir
Gaernarfon, a 158% o boblogaeth sir Feirionnydd.

Oddi mewn i un plwyf chwarelyddol, sef plwyf sifil Tal-
y-llyn, Meirionnydd, dyma oedd y sefyllfa enwadol:

Enw'r Capel	Enwad	Eisteddleoedd Capel	Ysgoldy
Noddfa, Corris	Bed.	160	
Aberllefenni	M.C.	310	
Rehoboth, Corris	M.C.	500	100
Bethania, Corris	M.C.	200	
Ystradgwyn, Tal-y-llyn	M.C.	82	
Bethesda, Aberllefenni	A	250	
Salem, Corris	A	400	
Bethel, Corris Uchaf	A	250	130
Shiloh, Corris	Wes.	370	60
Moriah, Corris Uchaf	Wes.	117	50
Ralltgoed, Aberllefenni	M.C.		80

Darperid seddi mewn capeli, felly, ar gyfer 2,639 o
addolwyr, er mai dim ond 1,586 a drigai yn y plwyf: yn
ogystal, roedd yno ddwy eglwys Anglicanaidd.

Os tasg amhosibl oedd llenwi pob capel ar y Sul,
gorchwyl digon anodd yn ogystal oedd symbylu'r aelodau

a oedd wedi eu cofrestru ar lyfrau'r addoldy i fynychu'r oedfaon. Nid anawsterau a gofidiau ysbrydol yn unig a oedd wrth wraidd hyn. Golygai'r dirwasgiad yn y diwydiant llechi fod nifer yn gorfod symud allan o'u bröydd er mwyn chwilio am waith, ac fe orfodwyd gweinidog Rehoboth [Methodistiaid Calfinaidd], Corris, i gyfaddef yn ei ragair i Adroddiad Blynyddol yr Eglwys ar gyfer 1912 na chyhoeddwyd Adroddiad ers rhai blynyddoedd:

> . . . oblegid gorchwyl digalon i chwi sydd yn cofio Eglwys Rehoboth yn ei nerth, oedd darllen amdani yn lleihau mewn rhif o flwyddyn i flwyddyn.

Symudodd nifer o chwarelwyr i faes glo de Cymru er mwyn dod o hyd i waith, gan adael ambell drysorydd capel yng Ngwynedd mewn sefyllfa ddigon bregus pan ddeuai helyntion i'r maes glo a phan na ddeuai'r taliadau disgwyliedig oddi wrth yr aelodau a oedd ar wasgar drwy'r de. Beichiwyd ambell gapel, yn ogystal, â dyledion helaeth: bu'n rhaid i Seion [Bedyddwyr], Blaenau Ffestiniog, dalu llog ar ddyled o £1,145 ym 1914.

Siglwyd seiliau ffydd yr aelodau, ynghyd â'u gweinidogion, gan ddylanwad y Rhyfel Byd Cyntaf, a barn ddigon cyffredin, bellach, yw bod Anghydffurfiaeth wedi colli rhai o'i gwerthoedd mwyaf hanfodol yn ystod y blynyddoedd hyn. Ni fynnai pob addoldy ymwneud â gwaith y lluoedd arfog, fodd bynnag, ac yn Nyffryn Ogwen gwrthododd bron pob capel a gweinidog, yn ogystal â'r cyngor lleol, drefnu gwaith recriwtio, gan adael y gwaith annifyr hwnnw yn bennaf i'r eglwysi Anglicanaidd lleol. Wedi'r Rhyfel gwelwyd yn eglur bod tuedd gref i wrthgilio o'r capeli. Nododd y Parch. F. C. Jones, gweinidog Salem [Bedyddwyr], Blaenau Ffestiniog, yn ei Adroddiad ar gyfer 1921 mai dymunol fyddai 'gweled llawer mwy o ieuenctid yr Eglwys yn ymroi i weithio er llwyddiant y tŷ'. Ym Methesda, Arfon, cwynai aelodau capel Bethesda

[Bedyddwyr] nad oedd seddi ar gael ar gyfer pawb ym 1896; yr oedd tua 600 yn aelodau yno yn y flwyddyn honno. Erbyn 1920, dim ond ychydig dros 200 a oedd yn parhau'n aelodau, ac nid eisteddai neb yn yr oriel lofft ac eithrio ar gyfer gwasanaethau arbennig. Awgrymai rhai bod y diffyg teyrngarwch i'r capel yn ymateb a oedd yn tyfu yn sgîl newidiadau cymdeithasol dyfnach eto. Mewn erthygl yn trafod 'Dirywiad y Chwarelwyr fel Diwinyddwyr', yn *Y Genedl* ym 1912, nododd y cyfrannwr fod 'annibyniaeth barn a meddwl yn llai nodweddiadol o'r plant nac o'r tadau', ac mai dyna a esboniai ddiffyg diddordeb chwarelwyr ifainc yn yr Ysgrythurau. Gofidiai Bob Owen, Croesor, yn yr un flwyddyn oherwydd fod cynifer o bobl yn symud o'r gogledd i'r de er mwyn chwilio am waith:

> Wrth anfon ein plant i'r Deheudir, y mae'r mwyafrif ohonynt yn ymgymysgu â dylanwadau drwg, ac yn colli yr annibyniaeth hwnnw oedd mor nodweddiadol ohonynt, ac wrth golli eu hannibyndod, y maent yn colli eu crefydd.

Wedi i'r Rhyfel Byd Cyntaf orffen, gwelwyd hefyd nad oedd y gefnogaeth i Fudiad Addysg y Gweithwyr lawn mor frwdfrydig ag yr oedd cyn 1914. Yn ogystal â'r diffyg cefnogaeth i'r eisteddfod leol, cyflwynwyd tystiolaeth gan ohebydd o Fethesda yn dweud nad oedd llawer o frwdfrydedd yn Nyffryn Ogwen ym 1920 o blaid ail-gychwyn dosbarthiadau yn Nhre-garth a Bethesda; ac fe gafwyd tystiolaeth gyfatebol gan lyfrgellydd tref Blaenau Ffestiniog mewn adroddiad a ddanfonwyd at Thomas Jones (Rhymni). Er na chyhoeddwyd y dystiolaeth y bwriad oedd llunio cyfrol yn trafod dylanwad y Rhyfel ar ogledd Cymru—ceir yma ddarlun digon cywir o fywyd rhai o'r ardaloedd chwarelyddol mewn cyfnod pan oedd ffyniant unwaith eto ar y gorwel i'r diwydiant llechi, a phan welwyd nifer sylweddol o deuluoedd yn dychwelyd o gymoedd y de ac o gyffiniau Lerpwl. Honnwyd bod llawer mwy yn mynychu'r tafarnau ym Methesda, ac mai dynion ifainc oedd y cwsmeriaid newydd hyn. Ym Mlaenau Ffestiniog, llyfrau Saesneg âi â bryd darllenwyr y dref, a'r canlyniad, ebe'r llyfrgellydd, mewn ymadrodd hynod arwyddocaol, 'yw fod y dorau fu yng nghau rhag dylanwadau estronol wedi eu hagor led y pen'.

Gofidiai gohebydd colofn 'Byd y Chwareli' ym mhapur newydd *Y Genedl* hefyd oherwydd y newid a fu yn safonau a gwerthoedd diwylliannol y cylch. Ym 1922 honnodd fod y genhedlaeth ifanc a weithiai yn y chwareli yn dangos llawer gormod o ddiddordeb mewn pêl-droed, paffio a betio, ac mai eu hunig ddiddordeb 'llenyddol' oedd darllen llyfrau ysgafn, di-werth. 'Daeth yr ysprydion hyn i'n gwlad drwy y gwasgariad mawr a wnaed arnom gan y rhyfel'. Ymhen pythefnos, trodd y gohebydd ei sylw at y dosbarthwr llyfrau, gŵr a fu'n ymwelydd cyson â'r chwareli yn y bedwaredd ganrif ar bymtheg, ac a weinyddai ryw fath o glwb lle y gellid prynu llyfrau trwy

34   Aelodau o dîm pêl-droed y Dixie Kids ym 1925.

dalu swm penodol yn rheolaidd bob wythnos. Bellach, meddai, pe deuai'r dosbarthwr i'r chwarel, edrychid arno 'fel pe bai cyrn ar ei ben'.

Ym 1925 cwynai Silyn Roberts fod y bwci bellach yn medru ennill tamaid digon bras ar strydoedd Blaenau Ffestiniog 'lle nad oedd y rhyw yma o ddiawl wedi ymddangos mor ddiweddar ag ugain mlynedd yn ôl'. Ychydig yn ddiweddarach, yn ystod yr wythnos cyn rhedeg ras y 'Grand National' yn Ebrill 1926, cwynai'r Prif Arolygydd J. F. Evans fod llawer o fetio i'w weld yn mynd rhaggddo yn yr un dref, a hynny'n hollol agored. Rhoddwyd mwy o sylw i'r dref ym 1929 pan honnwyd gan ohebydd yn *Y Rhedegydd*, wythnosol yn y cylch, fod gwirodydd yn nychu bywyd y cylch, a bod yno hefyd bechodau llawer gwaeth, megis tor-priodas, puteindra ac anlladrwydd. Cwynodd 'Teithiwr Arall', yn yr un papur, yn y 1930au:

> Ni welais yn unman eto fechgyn mor haerllug ag y gwelais ar y ffordd yn ardaloedd Ffestiniog. Y mae'r iaith a ddefnyddir ganddynt ymhell o fod yn weddus, ac y mae agwedd ambell un ohonynt yn herfeiddiol.

Gofidiai llawer, wrth reswm, o glywed y fath dystiolaeth. Dywedwyd wrth Gymanfa Flynyddol Undeb Dirwest Gwynedd, a gynhaliwyd ym Mlaenau Ffestiniog ym 1937, fod Pwyllgor Llyfrgell y dref wedi cytuno i dduo'r colofnau betio yn y papurau dyddiol a oedd ar silffoedd llyfrgell y dref, gan ddangos yr hyn a ddisgrifiwyd fel 'cydwybod iach' o dan yr amgylchiadau. Ar y llaw arall, honnodd gweinidog Seion [Bedyddwyr], y Parch. J. R. Jones, iddo weld mwy o feddwi yn y dref nag a welwyd ganddo yn ystod ei weinidogaeth yn ne Cymru.

Cyfeiriwyd ar ddechrau'r ysgrif hon at y disgrifiadau a'r portreadau 'nodweddiadol' o'r bröydd chwarelyddol sydd i'w gweld yn ein llenyddiaeth. Yr hyn sy'n gyffredin i bron bob un ohonynt yw nad oes nemor un cyfeiriad at dafarnau yn y trefi a'r pentrefi hyn; a rywsut, yr argraff a roddir i'r darllenydd yw nad oedd y ddiod gadarn, na chwrw ychwaith, yn berthnasol i fywyd y chwarelwr a'i deulu. Ceir ambell hanesyn am chwarelwyr yn mynd 'am sbri' ar ddydd setlo mawr ac, wrth reswm, mae Caradog Prichard yn rhoi tipyn mwy o sylw i fywyd 'Buchedd B' trigolion Bethesda na'r awduron cyfarwydd eraill. Serch hynny, erys y portread o'r gymdeithas chwarelyddol fel cadarnle dirwest. Sioc—neu siom, efallai—yw deall, felly, fod ym Methesda yn unig dros ddeugain o dafarnau swyddogol yn ystod ail hanner y ganrif ddiwethaf. Gellid ychwanegu nifer llai pendant o dai lle y gwerthid brag cartref (fel dull o ychwanegu at yr incwm teuluol) nad oeddynt wedi eu trwyddedu a'u henwi fel tafarnau go-iawn. Yn ogystal â bod yn gadarnle i Anghydffurfiaeth, felly, roedd gan 'Bethesda Fawr yn Arfon' yr hawl i ymfalchïo yn y cyfanswm rhyfeddol o dafarnau a gynigiai wasanaeth pur wahanol ei naws i wasanaeth y capel i'w cwsmeriaid.

Y ffaith hanesyddol arwyddocaol, fodd bynnag, yw mai ychydig iawn, iawn, o sôn sydd am y tafarnau ac am nodweddion bywydau y rhai a'u mynychai. Ac mae'r un peth yn wir am hanes yr ardaloedd chwarelyddol eraill, sef bod iddynt oll hanes cyforiog ym myd diwylliant, undebaeth, gwleidyddiaeth, crefydd neu archaeoleg diwydiannol: ond gagendor anferth a geir wrth droi i chwilio am hanes y gymdeithas a fu'n gwsmeriaid ac yn yfwyr yn y tafarnau yma. Ai chwarelwyr a'u gwragedd oeddynt? A oeddynt yn cyfyngu eu diddordebau i'r dafarn? A oedd y dafarn yn ganolfan ar gyfer chwaraeon mwy cignoeth, megis yr ymladdfa paffio a ddisgrifir yn *Un Nos Ola Leuad*? A oedd cymdeithas y capel a chymdeithas y dafarn yn cyd-fyw'n ddigon hapus, gyda'r penlinwyr ar y Sul yn edifarhau am lasiad neu ddau yn ormod y noson cynt? Neu a oedd yr yfwyr yn perthyn i gymdeithas hollol ar wahân i gymdeithas y capel? Gellir gofyn llu o gwestiynau cyffelyb, gan ddarganfod bylchau enfawr yn ein gwybodaeth a'n dirnadaeth hanesyddol.

Drwy ddilyn peth o hanes sefydlu gwasanaeth heddlu yn sir Gaernarfon, mae modd gweld nad saint oedd pawb o drigolion y trefi a'r pentrefi chwarelyddol, hyd yn oed yn y cyfnod hwnnw—dyweder rhwng 1850 a 1900—pan oedd dylanwad y Mudiad Dirwest ac Anghydffurfiaeth ar eu cryfaf. Rhaid cofio, wrth reswm, mai ardaloedd diwydiannol bywiog ac atyniadol oedd mannau fel Bethesda a Blaenau Ffestiniog, Pen-y-groes a Llanberis, a'u bod yn atyniad i feibion ifainc yr ardaloedd amaethyddol cyfagos. Efallai'n wir fod gwaith y chwarel yn drwm ac yn beryglus, a'r amodau yn hynod ddiffygiol ond roedd y cyflog yn lled ddibynadwy ac yn ddigon uchel i ddenu dynion rhag chwilio am waith mewn chwarel gyfagos. Hogiau o Fôn ac o Benrhyn Llŷn âi i weithio yno fel labrwyr ac i obeithio dysgu crefft y chwarelwr. Ond, fel y nodwyd yn ddigon nawddoglyd yn *Y Llenor* ym 1942:

> Nid oedd obaith iddynt hwy ddysgu'r grefft. Ni chawsant ychwaith mo'r un dylanwadau meddyliol â'r chwarelwyr, ond ceid yn eu mysg ambell ŵr o argyhoeddiad dwfn a dynoliaeth gadarn.

Ymddygiad rhai o labrwyr Cwmni Rheilffordd Dyffryn Nantlle a ysgogodd benodi cwnstabl preifat cyntaf sir Gaernarfon ym 1864. Dan amodau Deddf a basiwyd ym 1840, rhoddwyd i'r cwnstabliaid preifat yr un hawliau â'r rhai sirol, ac mae'n debyg bod angen tipyn o drefn yn Nyffryn Nantlle yn ystod cyfnod adeiladu'r rheilffordd fer hon. Yn ddiweddarach, ac ymhell cyn dyfodiad awelon main helyntion diwydiannol, cytunodd yr Arglwydd Penrhyn i benodi dau gwnstabl preifat, y naill i fyw yn Nhre-garth, a'r llall i wylio chwarel y Penrhyn; ac fe benodwyd cwnstabl preifat gan deulu Assheton-Smith, Y Faenol, er mwyn gwarchod pentref Y Felinheli.

35　Prysurdeb yn Chwarel Llechwedd, Blaenau Ffestiniog, ym 1895.

Sefydlwyd gwasanaeth heddlu sirol ym 1856 ar gyfer Caernarfon, gan benodi plismyn ar gyfer ardaloedd trefol a gwledig, fel ei gilydd. Nid chwarae bach oedd bod yn Brif Gwnstabl y sir, fodd bynnag, fel y canfu Capten James Martin Clayton, a fu'n dal y swydd rhwng 1879 a 1886. Arweiniwyd ei wrthwynebwyr gan y Parch. Eiddon Jones, Llanrug, trefnydd y Gymdeithas Ddirwestol leol. Trwy ddatganiadau Eiddon Jones ar y naill law, a Chapten Clayton ar y llall, gellir canfod tipyn o'r gwirionedd am fywyd cymdeithasol rhai o'r bröydd chwarelyddol, a chyffiniau Llanrug yn benodol. Gofidiai'r Gymdeithas Ddirwest oherwydd y meddwdod a oedd mor gyffredin drwy'r sir, ac fe gyhuddwyd Capten Clayton o fod yn ddihid tuag at hyn. Fe'i cyhuddwyd ymhellach o anwybyddu tystiolaeth a gyflwynwyd gan ei blismyn ef ei hun: er enghraifft, ar dri achlysur ym 1882 gwnaeth P.C. Jones, Llanrug (P.C. 24) gŵyn fod tafarnwr y Pontrhythallt Inn, Llanrug, wedi gwerthu cwrw ar y Sul ac wedi gwerthu cwrw y tu allan i'r oriau swyddogol. Mae'n ddigon eglur, felly, fod galw lleol am ddiodydd meddwol na ellid mo'i ddigoni oddi mewn i'r oriau swyddogol. Nid oedd sail i feirniadaeth y Gymdeithas Ddirwest, fodd bynnag, ac mae'n debyg fod gan Clayton resymau digonol dros beidio â gweithredu ar sail cwynion P.C. 24. Ym 1899, fodd bynnag, gorfodwyd y Prif Gwnstabl newydd i dderbyn y cyfrifoldeb dros weithredu'r Deddfau Trwyddedu drwy'r sir. Efallai nad oedd hyn yn syndod, gan fod bron i hanner y 'Standing Joint Committee' yn Anghydffurfwyr.

Parhau i achosi gofid a wnâi cyfanswm y rhai a erlynid am oryfed yn sir Gaernarfon, fodd bynnag, yn bennaf oherwydd nad oedd gostyngiad i'w ganfod yn yr ystadegau blynyddol:

ACHOSION MEDDWDOD
SIR GAERNARFON, 1889—1893

Blwyddyn	Nifer Achosion	Nifer wedi eu Dedfrydu
1889	597	563
1890	603	580
1891	551	517
1892	559	524
1893	664	563

Bu'n rhaid penodi plismon 'plain clothes' ym 1900, gan roi iddo'r ddyletswydd anhyfryd o sleifio i dafarnau ac arolygu gweithredu'r deddfau trwyddedu. Nid dyma'r unig enghreifftiau o dorcyfraith a boenai'r plismyn, fodd bynnag, ac ymhlith gohebiaeth ddyddiol y Prif Gwnstabl a'i ddirprwy gellir canfod ambell eitem sydd eto'n arwyddocaol yng nghyd-destun bywyd y bröydd chwarelyddol. Enghraifft ddigon nodweddiadol yw adroddiad P.C. Henry Harris, Pen-y-groes, yn Ebrill 1894, ynglŷn â straeon ym mhentref Tal-y-sarn fod gwraig leol wedi esgor ar blentyn saith mis ynghynt a bod ei gŵr, yn ddiweddarach, wedi darganfod corff y plentyn yn y simdde.

Dengys llyfrau cofnod gorsafoedd heddlu Llanberis a Bethesda fod meddwdod, a'r hyn a ddeilliai ohono, yn gofidio'r plismyn lleol yn bur aml. O'r pedair trosedd ar ddeg a gofnodir yn llyfr Bethesda ar gyfer 1885, er enghraifft, mae un ar ddeg yn cyfeirio at 'feddwi', 'meddw ac afreolus', neu 'meddw ac analluog'. Cyfartaledd tebyg sydd i'w ganfod yn llyfr gorsaf Llanberis, yn ogystal—er mae'n bur debyg na ofidiai'r plismyn yn ormodol am ambell feddwyn rheolaidd a chyfarwydd a gâi rybudd a'i hel adref fel arfer, a'i arestio dim ond os oedd wedi camymddwyn yn fwy difrifol nag arfer. Dyna, yn sicr, oedd eu hagwedd at Robert Jones, Pantdreiniog,

Bethesda, sef 'Robin Jones Gwich', neu William Hughes, Cae-llwyn-grydd, sef 'Cachu Mochyn Shionc'—diolch i'r plismyn am gofnodi blasenwau'r ddau!—a fyddai fel arall wedi llenwi pob tudalen yn llyfr gorsaf Bethesda ond a gâi eu harestio dim ond petaent yn ceisio ymosod ar un o'r plismyn.

Dau gymeriad arall a gerddai strydoedd Bethesda ar ddechrau'r ganrif hon oedd 'Deryn Nos' a 'Wil Betsi Bwtsh', a rhoi iddynt hwy, hefyd, eu blasenwau arferol. Yn ein hoes ni, mae'n debyg mai eu cartrefu mewn rhyw fath o sefydliad fyddai tynged y ddau; ond roedd iddynt hwythau eu swyddogaeth ym Methesda, sef yn bennaf cludo nwyddau, negeseuau a pharseli o orsaf rheilffordd y dref ar hyd a lled y dyffryn. Gyda'r nos, fodd bynnag, caent waith ychydig yn wahanol, sef darparu gwasanaeth cario cwrw o'r tafarnau i gartrefi parchusion lleol. Roedd y ddau yn hoff o wisgo cotiau mawrion a oedd yn hynod hwylus ar gyfer cuddio poteli a jygiau o gwrw oddi tanynt. Gwyddai'r ddau yn iawn, wrth reswm, am eu prif gwsmeriaid, ac fe alwent yn eu cartrefi wedi iddi dywyllu, gan fynd ag arian yn eu poced i ddrws ochr un o'r tafarnau ar y stryd, a chario jwg neu botel yn ôl yn ofalus. Ac felly, câi ambell barchusddyn ei ddiferyn—heb orfod gadael ei gartref a heb gael ei weld yng nghyffiniau'r stryd!

Nid oedd Bethesda, wrth reswm, yn wahanol i unrhyw un arall o'r trefi a'r pentrefi chwarelyddol. Wrth gloddio ychydig o dan wyneb hanes lleol swyddogol ei naws, buan y daw stôr o wybodaeth am fywyd llai parchus nifer o'r chwarelwyr a'u teuluoedd i'r golwg. Dyma ychydig enghreifftiau: chwarelwyr yn dianc o chwarel Dinorwig i'r dafarn yn Nant Peris bob prynhawn dydd Gwener; streic yn y 1920au yn yr un chwarel, a'r dynion yn taflu'r plismyn lleol i afon y Bala ganol y prynhawn wedi i rai o'r fintai ddychwelyd o dafarnau'r pentref; ystafell ddiddos, led gudd, yng ngwesty'r Castle, Llanberis, at ddefnydd stiwardiaid y chwarel yn unig; rhai o chwarelwyr Dyffryn

36 Hollti a naddu yn Chwarel Dinorwig yn y 1930au.

Nantlle yn teithio i Gricieth ychydig flynyddoedd cyn y Rhyfel Byd Cyntaf i glywed araith gan David Lloyd George, ac yna yn ymosod yn giaidd ar y *suffragettes* a feiddiodd darfu ar eu harwr. Ac eto, er enghraifft, ym 1928 ceir hanes am blismyn Blaenau Ffestiniog yn ymweld â chartref Mrs. Elizabeth Jones ac yn darganfod 433 o slipiau betio, 23 potel hanner peint o wisgi, a phum potel peint-a-hanner o 'port'! Aethpwyd â Mrs. Jones i'r llys, gan roi'r cyfle arferol iddi i'w hamddiffyn ei hunan. Syfrdanwyd y fainc a dychrynwyd parchusion y dref gan ei honiad mai rhai o flaenoriaid capeli'r cylch oedd ei phrif 'gwsmeriaid'.

Nid saint oedd chwarelwyr Gwynedd i gyd, felly, ac nid yw'n deg nac yn gywir i haneswyr eu portreadu fel cymdeithas o weithwyr diwydiannol a oedd, rywsut, ychydig yn well na'u cyfoeswyr mewn mannau eraill yng Nghymru. Yn yr un modd, byddai'n hollol annheg petai darlun yn cael ei greu o'r gymdeithas hon fel un feddw, ddisylwedd a digrefydd. Mewn gwirionedd, yr hyn a grewyd yn y trefi a'r pentrefi chwarelyddol oedd cymdeithas ddiwydiannol Gymraeg ei hiaith, cymdeithas fywiog mewn ardaloedd a oedd y pryd hwnnw yn ffynnu'n ddiwydiannol—ac ym mhob ffordd arall. Ychydig iawn o wahaniaeth a oedd rhwng y gymdeithas neu fywyd bro mewn ardal fel Bethesda ac ardal gyfatebol megis y Tymbl neu Rydaman yn yr un cyfnod. Denwyd gwŷr ifainc i'r ardaloedd hyn, yn y de a'r gogledd, a'u dewis hwy, wedi cyrraedd a sicrhau gwaith, oedd sut i wario eu cyflogau. Cynigiai'r capeli a'u diwylliant un maes amlwg ar gyfer pobl ifainc a theuluoedd sefydlog; ac fe gynigiai'r tafarnau fath gwahanol o weithgarwch ac adloniant. Yn sicr, nid oedd prinder arian i'w wario naill ai yn y capel neu'r dafarn, ac nid bywyd o dlodi a nodweddai chwarelwyr Gwynedd drwy gydol y bedwaredd ganrif ar bymtheg. Dewisodd rhai fuddsoddi cyfran o'u cyflogau mewn llongau a gofrestrid ym mhorthladdoedd Lerpwl a glannau gogledd Cymru, ac fe fedyddiwyd dwy o longau cwmni Evan Thomas Radcliffe, Caerdydd, yn *Llanberis* a *Douglas Hill* fel abwyd er mwyn ceisio denu buddsoddiadau yn yr ardaloedd hyn.

Efallai mai'r camgymeriad sylfaenol a wnaethpwyd gan awduron lleol a haneswyr fel ei gilydd fu dehongli'r bröydd chwarelyddol drwy lygaid a welodd ddirwasgiad yr ugeinfed ganrif, diweithdra, cwtogi ar gyflogau, a chwalfeydd cymdeithasol a chrefyddol, heb gofio am y ffyniant a fu'n nodwedd mor amlwg hanner canrif ynghynt. Tybed, hefyd, na fuom yn rhy barod i dderbyn ein hanes a'n hatgofion am yr ardaloedd hyn o law a genau y rhai a hyfforddwyd i draethu'n gyhoeddus ac i gofnodi'n ddestlus gan gapel a sêt fawr? Nid cymdeithas ddu a gwyn, o bechaduriaid a'r cadwedig rai, a nodweddai'r rhannau hyn o Wynedd, ond yn hytrach cymdeithas lle y llithrai mynychwyr yr oedfa a'r dafarn drwy ei gilydd, yn unedig ym mhrofiad y chwarel. Y gorchwylion dyddiol yno a osodai stamp ar gymuned a chymdeithas, a dyma'r undod profiad a unai'r dirwestwr a'r diotwr.

DARLLEN PELLACH

H. D. Hughes, *Y Chwarel a'i Phobl* (Llandybïe, 1960).

T. Rowland Hughes, *William Jones* (Llandysul, 1944).

Ernest Jones, *Senedd Stiniog: Hanes Cyngor Dinesig Ffestiniog 1895-1974* (Y Bala, 1978).

J. Owain Jones, *The History of the Caernarfonshire Constabulary, 1856-1950* (Caernarfon, 1963).

T. H. Jones, *Cerddi ac Atgofion Twm Bethel* (Pen-y-groes, 1976).

Caradog Prichard, *Afal Drwg Adda—Hunangofiant Methiant* (Dinbych, 1973).

Caradog Prichard, *Un Nos Ola Leuad* (Dinbych, 1973).

Caradog Prichard, *Y Rhai Addfwyn: Atgofion Lleol am Ardal Bethesda* (Caernarfon, 1971).

Ernest Roberts, *Bargen Bywyd fy Nhaid* (Llandybïe, 1963).

Ernest Roberts, *Cerrig Mân* (Dinbych, 1979).